Om folkliv, natur och historia människor och miljöer av

John Nihlén

Utgiven i samarbete med
Svenska turistföreningen

Det sällsamma Småland

Rabén & Sjögren

I samma serie har tidigare utkommit:

Edvard Matz, Mälardalens sällsamheter (1973, 1975)
Jan Gabrielsson, Det sällsamma Dalarna (1975)
Edvard Matz, Sällsamheter i Bohuslän och Dalsland (1975)
Bengt G Söderberg, Gotlands sällsamheter (1975)
Mats Bramstång, Sällsamheter i Halland (1977)
Mats Bramstång, Sällsamheter i Blekinge (1977)

KF

© John Nihlén 1977
Omslag: Oxdrift från Småland. Oljemålning av Nils Anderson.
Tillhör Nationalmuseum.
Foto Tomas Nihlén
Karta av Colour Map Production
Tryckt hos Berlings, Lund 1977
ISBN 91 29 49985 2

Förord 7

Jönköpings län 13

Gränna – idyll vid Vätterns klara bölja ... 13   Grännakungen 16   Sago-
målaren John Bauer 17   Per Brahes undergång 19   Säg mig en stad ... 23
Sagaholm 26   Det stora brödupproret 31   Smålands stora järnklump 32
Den småländske Pan – Albert Engström 35   Albert Engström på museum 38
Endast det bästa är gott nog vid kungens bord 39   Ute blåser sommarvind 44
"Vid Värnamo på marknaden ..." 49   En vildmark vid E4:n 52   Med ånglok
genom storskogen 56

Kronobergs län 61

Fattigdomens skönhet 61   Käringoket från Angelstad 64   Kvacksalvare och
kloka gubbar 66   Förändringens vind 70   Lotta Larsdotter i galgen 73
Bondens lada stod tom 75   Bonden som talade sju språk 77   Möte vid
gränsen 80   Litet åts där, mycket dracks där av ont vin 83   Shakespeare i
Småland 87   Vi möter Linné på riksgränsen 88   "En alldeles ofantlig
träkista ..." 95   Prosten till häst med fru och sju döttrar 98   Wärend och
wirdarne 100   En saga från "Salens långa sjö" 104   Näktergalen från
Småland 108   Tegnér och prästfruarna 117   Hästen som fann en hälso-
källa 119   Gäst hos verkligheten 121   Urshult och tusenåriga äpplen 125
Flickorna i Småland 128   Nils Dacke – hjälte eller förrädare? 130   Dianas
öga i Småland 134

Kalmar län 139

Skomakare och speleman 139   Jödde på Stenkullen 141   Den blomstertid
nu kommer 148   Vilhelm Moberg – den evige bonden 149   Brömsebro –

ett spex vid gränsen 152   Södra Möre 155   Järnkusten 160   Fribytaren
på Östersjön 165   Döderhultarn 168   Tre tusen år på Simpevarp 176
Byn i kraftverkets skugga 182   Tjust – Norra Kalmar län 184

Förädlingens land 189

Järn – Trä – Glas 189   För nordmännens raseri ... 196

Register 201

Förord

En gång berättade jag spökhistorier i Skånes Författarsällskap. I ingressen nämndes att jag fått min inspiration huvudsakligen från tre landskap: Värmland, där jag växte upp och lyssnade, Gotland, där jag grävde och forskade, och Skåne, där jag just nu är förankrad. "En gång, när jag blir gammal", sa jag, "skall jag skriva en bok, en trilogi över dessa tre fina landskap. En landskapsbok som ingen skulle kunna tävla med!"

Och nu sitter jag här och har just avslutat en bok om Småland, t.o.m. dess sällsamheter. När jag fick uppdraget kände jag mig tveksam – jag var bortskämd av Värmland och dess fantasimänniskor, av Gotlands sagor och fantastiska forntid, av Skånes myllrika kultur med anknytning till det ljuva Danmark. Dock tog jag steget och började syna Småland i sömmarna.

Jag är ingen främling här. Som ung hade jag spanat i slaggskogarna efter Sveriges äldsta "järnbärarland", jag hade studerat gammalt smide med Evert Wrangel. Som hembygdsvårdare hade jag haft ett oförgätligt samarbete med Elin Wägner i Berga och dessutom kontakt med mer än hundra hembygdsföreningar i detta väckelserörelsernas land. Minsann, när jag tänkte efter, hade jag inte också varit med och grundlagt en folkhögskola i Markaryd och kämpat på barrikaderna för att hindra militären att lägga vantar på kulturbygden i Finnveden. Många småländska vänner har jag därtill.

Så kom det sig att boken om de tre landskapen blev en bok om Småland. Jag började resa runt igen i landskapet, besökte gamla kända orter och upptäckte nya, satte mig att forska i arkiv och bibliotek, intervjuade folk i olika åldrar.

Vad fann jag? Ett fantastiskt landskap med en oerhörd spännvidd. Fångade man in en egenskap, trädde strax dess motsats fram. Vad jag upptäckte var inte bara det fattiga Småland utan också det rika, det som

Vattenfall i Småland. Marcus Larson.

har nästan outtömliga tillgångar av natur, skog, malm, vatten, glas. Och till detta människors förmåga att bearbeta, förädla, levandegöra. Av skogen blev inte bara timmer (till de fint knutade stugorna), virke, tjära, papper utan också möbler som i sin bästa framtoning blev till möbelkonst. I sotiga ugnar producerades inte bara det råa tackjärnet utan också förädlade produkter till kyrkornas dörrsmide och kistornas beslag – ett hantverk med tusenåriga traditioner. Ur glasbrukens hyttor växte fram ett glas som inte endast fyllde nyttans behov utan också tog sig uttryck i konstglas med mästarnas adelsmärke – produkter som uppmärksammades på världsmarknaden.

"Det mörka Småland" har också sina ljusa sidor i romantiska sjölandskap, ängar och havstränder. Det bästa av allt är kanske att hela denna rikedom med alla sina individuella skiftningar bärs upp av ett folk, vars karaktärsdrag är både allvar och glädje, både ljus och mörker med en inre skaparkraft som kanske främst litteraturen och konsten bär vittne om.

Någon "rättvis" bok om Småland kan det inte bli, därtill är stoffet för rikt och skiftningarna för stora. Kanske har någon ort blivit styvmoderligt behandlad, någon framstående smålänning kommit i skymundan men minns att syftet ej har varit att skriva en uttömmande geografi eller antologi; endast skildra några spridda drag, det som just nu kommit under min slagruta. Må ingen tänka illa därom!

Jag har alltså vågat försöket och här är resultatet. Intet ont om Värmland, Gotland och Skåne men de får vila ett tag, nu gäller det Småland!

John Nihlén

Överum

TJUST

Södra Vi
Frödinge
VIMMERBY
Pelarne

Lönneberga
Vena
Hultsfred

Emån
Kristdala

Virserum
Döderhult

Högsby
OSKARSHAMN
Påskallavik

Em
Lilla Forsa
Mönsterås

Strömserum

Orrefors

Åfors
NYBRO
Boda
KALMAR
Algutsboda
Ljungbyholm
MÖRE
Hossmo
Emmaboda
Hagby
Voxtorp
Värnanäs

Brömsebro

VÄSTERVIK
Idö

Ankarsrum
Örö

Simpevarp
Figeholm

Blå Jungfrun

Öland

Jönköpings län

Gränna – idyll vid Vätterns klara bölja ...

Granneby – Gränna – det var det gamla namnet på dalen mellan Gränna-
berget och Vättern. Så småningom blev namnet knutet till kyrkan vid
Huseby kungsgård och här placerade Per Brahe 1652 staden, som länge
var en bondby. Ännu i vår tid är den en idyll med små nätta trähus,
trädgårdar och lummiga fruktträd och med flitiga hantverkare.

Nog förstår man att idyllens sångare Elias Sehlstedt, han som skrev
"Litet bo jag sätta vill", blev förälskad i Gränna, när han under en kanalre-
sa 1866 stannade till ett tag i staden och inspirerades till denna näpna sång:

> Just bland dessa saftigt gröna trän,
> Ni förstår med några får och fän,
> Vret att korna släppa,
> Boningshus med täppa,
> Pärlhöns med sin suverän.
> Uti Vätterns klara bölja
> Skulle jag mig två och skölja,
> Draga under sommarns lopp
> Stora laxar opp.

Uppskattade Gränna gjorde tydligen också landssekreteraren L. Löwenad-
ler, som 180 år efter staden Grännas grundande skrev sin utsökta lands-
hövdingeberättelse:

> Folkmängden (647 personer efter 180 år!!) har under de sista 5 åren ökats
> med 99, som mest tillskrives inflyttningen av adel och ståndspersoner samt
> deras hushåll.

Stadens vackra läge och ortens överflödiga tillgång på livsmedel för gott köp har gjort Gränna till en behaglig tillflyktsort för mindre bemedlade personer och familjer, som åskådande den livliga rörelsen av resande å den genomlöpande stora stråten mellan Jönköping och Stockholm samt njutande bekvämligheten att postkontor och apotek här finna ett tyst och lugnt stadsliv. Under 5 år ha 2 personer straffats för stöld och 6 för fylleri; något grövre brott har icke förekommit. Kärnan av borgarskapet utgöres av stadens 2 handlare och 22 skråmäster.

När Göta kanal öppnades fick Gränna ett andningshål, nya vindar började blåsa, idyllen fick nytt liv. Torgdagen kom till och lockade folk dit från landsbygden. Roddbåtar höll kontakt med skutorna, som seglade på sjön.

Parti av Gränna efter teckning av C. S. Hallbeck.

14

Till och från Visingsö hade man gästgivarerodd mellan Mellby färjestad och Kumlaby båthus på ön. Först 1863 kom hamnen till med sin fyr, och ångbåtsförbindelse knöts med alla större hamnar kring Vättern, naturligtvis också med Göteborg och Stockholm.

Det var nära att Gränna även fått järnvägsförbindelse. Man höll på att staka Södra stambanan på 1850-talet, och Gränna låg väl till. Men det fanns ett hinder: J. G. Granlund, ägare till en stor vagnfabrik och därtill riksdagsman. Han var rädd för konkurrens med de nya vagnarna! Och så var mygleriet i full gång. Vagnmakaren lyckades övertala en riksdagskollega Petter Jönsson i Träslanda (vilket härligt namn!) att föreslå en annan sträckning – förbi Träslanda gård i Nässjö landsförsamling. Där lades spåren och därmed också grunden till ett nytt samhälle i Småland – Nässjö. Så kan det gå ...

Många beklagade detta, andra var glada i sinnet, "ty det kommer så mycket dåligt folk med tågen". Men det blev aldrig som lokalpoeten A. F. Hellström drömt:

> När rullande vagnar på järnväg du får
> Och ångvisslan höres i Gränna
> När tåget det kommer och ångbåten går
> Då får du ditt tackoffer bränna
> Var hälsat, du lyckliga Gränna!

Därav blev intet men den gamla landsvägen fick lämna plats för den stora bilvägen som gjorde Gränna till en rastplats på den långa vägen från Stockholm till kontinenten. Under de senaste åren har dock Vätternleden fullbordats och motorvägen lyfts upp på berget.

Jag är glad att under några år ha fått vara med och forma denna led och komponera in den i ett landskap som söker sin like i vårt land. Gränna är – trots allt – åter en idyll, låt vara präglad av turismen, polkagrisarna och genomgångstrafiken till Visingsö. Synd bara att vi inte fick igenom vår heta önskan att låta den stora europavägen fortsätta på berget söder ut. Snöda lokala intressen tvingade ner den mot sjön och skar av den naturliga kontakten mellan Huskvarna och Vättern.

Grännakungen

Under många år dominerades Grännas föreningsliv och ideella verksamhet av fabrikör A. E. Bolling, gemenligen kallad Grännakungen. Han var ordförande i Hembygdsföreningen och han höll ett vaksamt öga på alla värdefulla idyller som gjorde Gränna till en turiststad av rang. Han var huvudpersonen vid nationella manifestationer, framför allt svenska flaggans dag, och representerade på ett ypperligt sätt och med strålande gemyt när storheter som kungen, dåvarande kronprinsen eller Per Albin besökte staden.

Fabrikör A E Bolling var stor
patriot och bygdeforskare.
Han kallades ofta rätt
och slätt för "Grennakungen".

På en hembygdsfest fick han till och med den upptagne Per Albin att hålla tal till bygden. Att det var ett bra tal kan jag vittna om. När jag under kriget ville ha ett uttalande av statsministern svarade han:

– Tyvärr har jag inte tid, men ni kan väl använda det som jag höll i Gränna för ett par år sedan.

16

Jag tog med tacksamhet talet som tidigare troligen var skrivet av Bolling och publicerade det i tidningen Hembygden. Det gjorde stor lycka och citerades överallt i svenska pressen.

Av alla idéer som virvlade i Bollings hjärna var det en han förde i hamn med stor energi och under användande av alla sina kontakter: Att bygga ett museum över Andrée och hans Nordpolsexpedition. Med otrolig möda lyckades han få tillstånd att härbärgera hela det viktiga Vitömaterialet och kring detta och andra Andréeminnen av lokal art byggde han upp Andréemuseet vid Brahegatan. Det är i hög grad en mans verk och .muséet står idag som ett monument lika mycket över fabrikör A. E. Bolling som den Grännafödde ingenjören S. A. Andrée. Brahehus, Andréemuseet, Hembygdsparken och polkagrisarna måste man uppleva när man är i Gränna.

Sagomålaren John Bauer

Det har i detta land aldrig funnits en sagotecknare som i sin pensel hade en sådan förtrollande kraft som John Bauer. Man behöver bara slå upp någon årgång av ”Bland tomtar och troll” från 1907 till 1916 för att hänföras av hans illustrationer av älgar, sagoprinsessor, troll och trolska, mörka skogar.

Sagorna har lästs av generationer och bilderna har blivit mycket folkkära. Ser man en riktigt vild skog med flyttblock och grovstammiga träd, då är det genast en ”Bauerskog”. Eller upptäcker man en liten linhårig flicka vid insjöstranden, då är det genast en liten ”Bauerprinsessa”. Det är inte bara det att han bildat skola, han har skapat en hel fantasivärld åt oss alla med rötter i Småland.

Det underliga med Bauer var att han inte ville ha några ”bra” förlagor, d.v.s. han ville inte att berömda författare skulle skriva litterära sagor som han illustrerade. Han var en egenartad människa, som ingen kom riktigt in på livet. Legendbildningen florerade kring honom även efter hans död 1918, då han, 36 år gammal, omkom med hustru och barn, när Per Brahe gick till botten.

"Ännu sitter Tuvstarr och ser undrande ner i vattnet" – det är texten under en illustration till John Bauers berömda tavla Prinsessan Tuvstarr.

En av de många sagor han illustrerade författades dock av professor Helge Kjellin, som skrev den berömda sagan om Tuvstarr. Det är en sagofigur som gått igen i många sammanhang, bl.a. hos Willy Kyrklund, vars roman Solange är inspirerad av sagan om Tuvstarr. På 70-talet började prinsessan Tuvstarr omhändertas av reklamen. Hon fick skylta för hårschampo och postverket gjorde vykort av det kända motivet.

När DN skrev om henne 1976 verkade hon gammal och trött och Alf Henrikson skaldade:

> Vår barndoms gölar var svarta och mysteriösa.
> Från släkte till släkte ansågs de bottenlösa.
> Men en grävskopa fyllde dem hurtigt på 14 dar.
> Varken rymdernas djup eller speglingen fick vi ha kvar.

Men trots allt:

Ännu lever prinsessan Tuvstarr och älgtjuren Skutt i våra hjärtan. Vill ni upptäcka dem på nytt, besök då John Bauers minnesrum i Länsmuseet i Jönköping.

Per Brahes undergång

Ännu är det många som minns när Per Brahe gick under med man och allt. Det var en novemberdag 1918. Full storm rådde på Vättern – den fruktade, förrädiska sjön – när ångbåten Per Brahe, en liten rank skärgårdsbåt, lämnade Gränna för att via Hästholmen gå vidare mot norr. På den tiden var det ännu livlig passagerartrafik på Vättern med små men hyttförsedda båtar. Per Brahe lämnade Gränna vid fyratiden och skulle ha varit i Hästholmen vid elvatiden på natten men kom aldrig fram. Ingen radio kunde meddela vad som hänt i den mörka, stormpiskade natten. Först långt fram på dagen kunde ett passerande fartyg rapportera att en massa vrakgods påträffats 500 meter utanför Hästholmen. Inget spår av själva båten, ingen överlevande påträffades. Det stod till sist klart för alla väntande, att Per Brahe hade förlist och att 25 människor dragits med i djupet.

Det fanns inga vittnen till olyckan. Men erfarna män drog den slutsatsen att ångaren kantrat, när den svängde in mot Hästholmens hamn och fick den våldsamma sjön rakt från sidan. Däckslasten försköts åt styrbord och pressade ner fartyget så att det ej kunde resa sig. Det gick till botten med aktern före. "Vättern, den rovgiriga sagosjön, skördade i denna dystra höstnatt ett större antal offer än någonsin: 25 personer följde dödsskeppet i djupet", skrev Sven Jerring, som då – långt före radions tid – var reporter på en ortstidning.

Sorgebudet, som snabbt gick ut över hela landet, väckte stor sorg, inte minst därför att sagomålaren John Bauer var bland de omkomna. Han hade som många gånger förr gjort denna färd tillsammans med sin fru, deras fyraårige son och en tjänsteflicka. "Det kändes som om en stor furste i konstens rike gått bort, älskad av alla, inte minst av Sveriges barn som han fört in i sitt sagorike", skrev en tidning vid dödsbudet och tillade: "En sådan konstnär, därtill blid och fin som människa får Småland aldrig åter".

Per Brahes befälhavare, som följde sin båt till Vätterns botten, var den legendariske, runt omkring sjön kände Teodor Boija. Snart började legender skapas kring olyckan (eller var det kanske inte legender?). Jag hörde själv en vän från Gränna, Sigurd Campbell, berätta att John Bauer kort före sin sista resa hade sagt att han anade en stor olycka, att något djupt tragiskt skulle drabba honom och hans familj.

Ett varsel av mer ovanligt slag berättades: Det var vid tolvtiden dagen före katastrofen. Ett sällskap befann sig på en utsiktspunkt vid Gränna, då en man plötsligt pekade utåt sjön och ropade: – "Se där går Per Brahe!"

En annan genmälde att det inte är möjligt, då fartyget vid den tiden måste ligga i Jönköping. Och ändå: alla såg fartyget ånga fram med god fart. Plötsligt iakttar alla att fartyget plötsligt började sjunka med aktern före; snart såg man bara stäven som pekade rakt upp, tills även den försvann ...

Så småningom bärgades Per Brahe efter fyra års mödosamt arbete, fyllt av motgångar och oförutsedda svårigheter. Bärgningen följdes av hela svenska folket ungefär som när regalskeppet Vasa lyftes upp ur sin grav 40 år senare.

Ett skillingtryck berättar om ångaren Per Brahes undergång:

1 Under nattens tysta timmar,
ifrån Gränna stad och hamn.
Tycks en ångare utglida
med det gamla kända namn.
Ångaren Per Brahe lastad,
Ut på Vätterns böljor blå,
sista gång, som knappt man anar,
att till staden Stockholm gå.

2 Nordanvindens stormar susa,
när som ångaren glider fram,
uppå Vätterns vreda böljor,
där man längtar uppnå hamn.
Under sorg och vemods tankar,
passagerarna tycks gå,
med besättning, ej med aning,
snart sin grav i djupet få.

3 Liten 3-års gosse, älskad,
med sin moder, därtill far,
under nattens tysta timmar,
med på resan kommit har.
Tjugofem med allesamman,
var det uppgett, med ombord.
Utanför Hästholmens brygga,
resan snart är sagd och gjord.

4 Allt omkring är tyst och stilla,
blott i mörkret vågens brus,
under vad som timat höres,
därtill nordanvindens sus.
Ingen räddning finns att finna,
inget hopp på böljan blå,
för de arma människors själar,
inför döden där de gå.

Vid bärgningen hittade man även fru Bauer och hennes son. De hade suttit i aktersalongen, kanske hade de inte vågat lägga sig i den svåra sjögången eller anade de vad som skulle hända? Barnet fann man i moderns famn. I trappan till hytterna låg John Bauer; han hade tydligen sökt komma upp för att skaffa hjälp men hindrats i trappuppgången av det nerrusande vattnet.

Av de omkomna var det tio som inte kunde identifieras. De namnlösa fick en gemensamhetsgrav på V. Tollstads kyrkogård, där en minnessten restes. Länge talade man om Per Brahes undergång, som besjöngs i illustrerade skillingtryck. Ännu idag är ångaren och dess dystra öde föremål för folkfantasi och legend.

Bärgningen blev en omständlig historia. Man bildade 1922 en andelsförening i trakten av Hästholmen och det gjorde att hela bygden deltog och stödde arbetet. En fullständig Per Brahe-feber utbröt. Det kunde en vacker söndag komma upptill 20 000 människor för att bevittna skådespelet.

Vad säger ni om detta: en symaskin, som funnits ombord, bärgades, styckades upp i småbitar som såldes som souvenirer för en krona styck!

Det fanns fler symaskiner med ombord. Symaskinsreparatören Thure Andersson hade 1918 varit med och lastat dem ombord på Per Brahe. 58 år efteråt fick han vara med och ta upp dem. Husqvarna AB kom på den lysande idén att söka sätta dem istånd och Thure Andersson fick uppdraget. Det lyckades med tre! En av dem kan beskådas på hembygdsmuseet i Kruthuset.

Nästan allt har återfunnits i hytter och lastrum. Men John Bauers tillhörigheter har man inte funnit ...

Hur gick det för den olycksdrabbade båten? Den fördes till varv och rustades upp. Så småningom såldes den till Åland, där den länge gick i kustfart. Men till sist ett klipp av Gränna Tidning 1954:

> Ett märkligt bogsersläp drog förbi Kalmar med kurs sydvart under fredagen. Det var den från tragedin på Vättern år 1918 bekanta passagerarångaren Per Brahe, som av motorbogseraren Jupiter av Hamburg släpades mot sin slutgiltiga undergång.

Säg mig en stad ...

Säg mig en stad vars historia börjar med forntidens sten-brons-järnåldrar, för tusen och åter tusen år sedan. En stad som inom sina gränser hyser en av landskapets vackraste, mest gåtfulla borgruiner. Som under 1600-talet lägger grunden till en industri, som ännu är i verksamhet. Den staden är Huskvarna.

Bergkullen med sina vattenfyllda gravar är infattad i den växande staden, inte bara omsluten av folkets fantasi utan också föremål för vetenskapens analys. Sägnerna om "jättar i skräckkammare" kom till när ingen visste vad ruinerna dolde. I fem hundra år och mer har vägfarande från norr och söder och från Holavedens skogar farit över Huskvarnaåns vadställe och haft Rumlaborg i sikte. Nu ser vi den tydligare sedan spadarna sattes i jorden på 1920- och 30-talen. Det var eldsjälen Georg Sahlström som ledde arbetet och avslöjade en stor del av "skräckkammarens" hemligheter. Han var en autodidakt som blev en hängiven arkeolog i en tid då det blev på modet att gräva fram medeltidsborgar – Adelsö, Lödöse, Skanör, Pilsborg, Björkaholm och några fler.

En annan märklig bygdeforskare som låtit ljuset flöda över Rumlaborg är Harry Bergenblad, hembygdsforskare, bibliofil, fotograf, museiman. Han har forskat i arkiven från rimkrönikornas tid och framåt. Vi frågar den lärde ingenjören, vars rum dignar av fyllda bokhyllor och arkivskåp med bilder i tusen och åter tusental, vad han fått ut av de medeltida källorna.

> Jag har ägnat mycket tid åt de viktigaste krönikorna – Erikskrönikan och Karlskrönikan, säger han. Ur den sistnämnda har jag fotograferat ett 60-tal rader av de 9 628 versrader krönikan består av. Dessa rader har jag valt för att ge en liten bild av den roll borgen spelat under Engelbrekts befrielsekrig och Karl Knutssons regering. Det blir ett avsnitt ur svensk historia, då borgar och fästen byggdes och brändes och då man för första gången prövade kanoner vid belägringarna.

1934 firades ett säreget jubileum: 500 år hade gått sedan Engelbrekt skövlade Rumlaborg. Alf Henrikson läste en prolog, Rurik Holm på Nääs höll festtalet. Sång och talkörer medverkade. Tusen människor hörde biskop Thomas frihetssång. Men omkostnaderna var stora och behållningen blev endast – 12 kr och 45 öre!

Ytterligare några notiser gav oss Bergenblad ur borgens brokiga historia: Bo Jonsson Grip, den mäktigaste godsägaren i landet, ägde Rumlaborg 1385. Det var inga småsmulor han förvaltade i sitt län (fögderi): Vista, Tveta, Mo och Norra Vedbo härader och dessa omfattade både Visingsö, Gränna och Jönköping; sedan också Fiskebäck och Habo socknar. Ägaren till Rumlaborg hade stor makt. Borgen spelade rent politiskt-strategiskt ungefär sammma viktiga, spännande roll som Kalmar. Kung Albrecht hade byggt den till värn för landet, när danskarna kom farligt nära Taberg – så långt upp i det genuina Sverige hade danskarna hunnit.

Hur såg slottet ut, som nu bara är en ömklig ruin? Det var ett ståndsmässigt hus med formtegel i tak och valv, med torn och skyttegångar, med djupa vallgravar och vindbrygga. På 1200-talet började borgen byggas, på 1300-talet blev den utvidgad både som borg och bostad, 1434 blev den jämnad med marken av Engelbrekt.

Nya tider bröt in, maktens-förvaltningens centrum förflyttades till Jönköping. Rumlaborg blev en saga, återuppväckt ur sin sömn av 1900-talets ambitiösa bygdeforskare. Ett ord till om dem. Här i Huskvarna ligger en av de största och bästa hembygdsföreningarna i Småland, ja, i hela landet. Kring skaran som frivilligt offrar tid och pengar lyser en framåtanda och ett företagarnit, samma egenskaper som skapat Smålands framgångsrika småindustri och allmänna företagsamhet. Det är en folkrörelse av bästa småländska märke, lite Dacke-färgad (med avvärjande rörelse både mot länsstad och rikshuvudstad), lite affärspräglad med egen inkomstbringande kaférörelse (Kruatorpet) och folkfester utan konkurrens.

Huskvarna museum ligger vid E4:n och besökarna strömmar in i stenhuset, som man vägrade att röra utan bara flyttade lite åt sidan, när motorvägen skulle fram. Under allt detta finns en ideell värme som hjälper till att lyfta upp Huskvarna till – vad sociologerna kunnat konstatera – ett av de mest trivsamma *moderna* samhällena i Sverige (rektor magnificus vid Uppsala universitet Torgny Segerstedt kan vittna!).

Slipstensfallet i Huskvarna omkring år 1700, återgivet i Erik Dahlbergs Suecia antiqua et hodierna.

Husqvarna Vapenfabriks AB som bildades 1867 under ledning av den store brukspatronen Wilhelm Tham hade bakom sig industriella aktiviteter sedan 1600-talet, framförallt krutbruket. Vilken utveckling! Ett litet brukssamhälle med 300 invånare växte till mer än 5 000, när stadsprivilegierna utfärdades 1911.

Nästan alla samhällen i Småland lever på hantverk och småindustri – det är liksom landskapets adelsmärke. Huskvarna är ett utmärkt exempel på den saken.

Vi har redan nämnt Vapenfabriken. Där tillverkas jaktgevär, symaskiner, spisar, värmepannor, tvättmaskiner, utombordsmotorer, cyklar, gräsklippare m.m. Så finns det dessutom konfektions- och möbelindustri och Nordens största borstfabrik. Också idyllen ryms inom denna effektiva ram.

25

Sagaholm

År 1971 gjordes i Ljungarums socken nära Jönköping ett fornfynd som låtit tala om sig över hela landet. Vad man fann var rester av en bronsåldershög. Den var tidigare skadad och nu höll man på att schakta bort den, när det plötsligt upptäcktes att sandstenshällarna som stod kantställda runt om graven var fyllda med ristningar. Högen, som var 23 meter i diameter, hade en yttre kantkedja på 20 meter och en inre på 18. Stenarna med sina ristningar var vända utåt och måste ha företett en praktfull anblick. Man fick i hast göra en undersökning medan grävskoporna vilade och de ristade, tillhuggna stenarna fraktades in till museet i Jönköping.

Vid Sagaholm, utanför Jönköping, påträffades och borttogs 1971 en bronsåldersgrav med ristade hällar. Figurerna påminner om ristningarna i den berömda Kiviksgraven.

När man såg närmare på bilderna blev det en fullständig sensation. Det var renaste bronsåldern, 3 000-åriga figurer fint inhuggna. En motsvarighet till detta har vi endast i "Bredarör" i Kivik, som alltsedan 1700-talet varit föremål för ivrig forskning och intensiva tolkningsförsök. Tillströmmande arkeologer uttalade sig patetiskt om det enastående fyndet och förslag till tolkningar av den mystiska bildskriften började nästan genast synas i tidningar och tidskrifter. Man hade framför sig ett dussin ristade hällar (det hade sammanlagt funnits ett 40-tal) och de män som med kraftiga linjer huggit in bilderna hade inte varit några klåpare. Formgivningen var gjord med samma elegans och realism som ristningarna i Kiviksgraven eller som ornamenten på bronsålderns smycken och vapen. Härigenom skiljer sig dessa elegant gjorda ristningar från de ungefär samtidiga i t.ex. Bohuslän och Östergötland. Men motiven är i stort sett desamma: djurbilder, mest hästar, skepp med höga stävar, delvis bemannade, bågskjutande män och en egenartad bild som man kallat "historisk porr", en man i samlag med ett djur.

När allt detta skall tolkas, står det tämligen klart att vi har med kultbilder att göra, dödskult i första hand men även fruktbarhetsriter. Det räcker inte att gå till Holland och Västeuropa för att få förebilder. Vi måste ner i Medelhavsområdet. Bronsåldern och säkert även denna småländska koloni med utfartsväg över den urgamla Lagastigen, hade en gigantisk fjärrhandel som följde de stora floderna, gick över Alppassen ner i Medelhavet, där vi redan i de liguriska alperna finner släktingar till Sagaholmsbilderna. Då är vägen inte särskilt lång till Kreta, där en av världshistoriens mest förbluffande bronsålderskulturer just nu blommade (2000–1570 f.Kr.). Hit hade metallerna kommit från Mindre Asien (koppar, tenn, silver, guld) och här spred sig metallkonst och bildkonst över hela den egeiska världen under ständig kontakt med högkulturer i Egypten. Det är svallvågor från denna kultur och dess avläggare som sköljt in över Norden. Från Ljungarum till Kreta var kanske inte avståndet så svindlande som många frestas tro, även om förbindelserna naturligtvis skedde i etapper. Vad man lärde av de minoiska hantverkarna var bearbetning och förädling av metallerna, skeppsbygge, uppförande av monumentalbyggnader (det tornliknande Kauparveröset i Lärbro på Gotland var ett sådant) kanske i viss mån också bronsåldersgraven vid Sagaholm.

Och vad föreställer bilderna (vars förlagor kanske en gång skurits i trä)? De är helt enkelt begravningsprocessioner vars olika moment skulle illustrera färden till dödsriket. Här är analogin med de egyptiska begravningsscenerna slående. Begravningsceremonierna med sina slaktoffer och processioner (till fots, till häst, med vagn eller i båt) skulle med de olika dödsriterna ge kraft åt den döde. Det är säkert ingen tillfällighet att av egyptisk smak präglade bronsåldersföremål (t.ex. ornament, en stol, ett hårnät) hittats så nära oss som i Danmark.

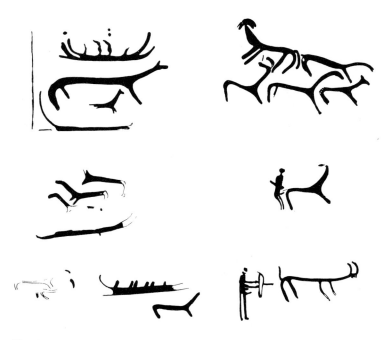

Tuschteckning av ristningar på gravhällar från Sagaholmsgraven.

28

En annan förebild kan ha varit den berömda stensarkofagen från Hagia Triada som är samtidig med den adertonde egyptiska dynastin 1570–1345. Där ser man, fast här i färg, rader av offerscener innehållande bl.a. en gestalt höljd i en djurhud, tolkad som den döde stående framför gravdörren. Bredvid denna syn synes ett träd och tre män som bär fram offergåvor (kalvar på en månskäreformad båt, troligen en slags votivbåt som man gett den döde för den sista resan). Man kan vidare urskilja lövklädda obelisker, fåglar och dubbelyxor. Man ser en tjur slaktas och anar att hela offerhandlingen ackompanjerades av musik av en citterspelare och en flöjtblåsare, klädda i fotsida kvinnokläder. En procession av kvinnor kan också iakttagas. Utom vagnar och hästar kan man också se en elegant spiralornamentik som osökt påminner om den nordiska bronsålderskeramiken.

När det gäller dessa egyptiska-kretensiska förebilder är det mer tal om allmänna likheter, om konstnärliga och konsthistoriska släktskap. De stora elementen: båtar, hästar, människofigurer har klara överensstämmelser; även kompositionen tyder på offer och dödskult. Bilden som på den småländska ristningen visar en fallisk man och ett kreatur är säkert del av en fruktbarhetsrit; vi har ju motsvarighet till denna bild också på nära håll i Tanum i Bohuslän. Man är frestad att ge den danske riksantikvarien P. V. Glob rätt vid tolkning av denna figur. Det skulle enligt hans mening vara den store feniciske guden Baal, blixtens, vindens och regnets gud, som avbildats när han älskar en kviga i de dödas rike. Enligt sagan födde kvigan åt honom en son som skulle inta hans plats på tronen för den händelse han själv inte vände tillbaka till livet. Denna fantasieggande myt skrevs ner i början av 1400-talet f.Kr. och vi är alltså inne i bronsålderns stora tidsrum.

Kanske kommer ristningarna i Sagaholm att ge oss lösning på en av arkeologins stora gåtor.

Dock – vilken tragik att endast rester återstår av detta fantastiska monument som fått lämna rum för modern bebyggelse. Och just i denna nya bebyggelse kanske ytterligare ristningar ligger begravda och några hundra år måste gå innan de kommer upp i dagen.

Att inte Sagaholmsfyndet står ensamt visar de vackra skeppsbilderna från Hästholmen, infartsvägen till det rika Östergötland. Det var ett stycke rikt och intressant land kring Vätterns sydspets. Både Ljungarum och Sanda (vars kyrka åts upp helt och hållet av Vättern) hade troligen tillgång till hamn. Det verkar som om Vättern hade gått ända in till Ljungarum under bronsåldern. Då fanns ännu inte Jönköping. Munksjön och Rocksjön var vikar av Vättern och den stora sjöns yta låg nära sex meter lägre än idag. För övrigt vet man redan nu att framtidens arkeologi i dessa trakter ligger på Vätterns botten.

Jönköpings tändsticksfabrik med de bolmande skorstenarna, 1800-talets tecken på välstånd. Litografi ur Sveriges Industriella Etablissementer 1872.

Det stora brödupproret

Under det stora brödupproret den 25–27 september 1855 inträffade i det eljest fredliga Jönköping en del händelser som man nu knappast kan tro vara sanna.

Det var det så kallade brödupproret som satte lidelserna i rörelse och skaffade stadens rådhusrätt ett gigantiskt arbete. Inte mindre än 349 personer ställdes inför rätta och fick avlägga vittnesmål.

Vad hade egentligen hänt?

Jo, det hela var egentligen en brödfråga som skapade gatukravaller vilka man varken förr eller senare sett maken till i den fridfulla Vätternstaden.

Skörden hade varit god men ändå steg priserna på livsmedel på ett upprörande sätt. Det låg jobberi och skumma affärsmetoder bakom. Mängder av spannmål hade köpts upp och skeppades nu ut ur landet.

Det var för att nu få vissa affärsmän i Jönköping att avstå från denna handel som en del arbetare samlades på aftonen den 25 september utanför S. Lindmans hus. Avsikten var att hindra honom att göra vidare uppköp. För att sätta makt bakom orden hade man ställt upp en slags stupstock och där intill en blankslipad yxa. En samtida tidning berättar:

> Under oljud och hotelser mot *Lindmans* liv fordrade man nu att denne skulle komma ut på gatan. Då denna uppmaning icke efterkoms växte missnöjet alltmer. T.f. borgmästaren kom till platsen och uppmanade de församlade till stillsamhet och ordning samt att genast åtskiljas, men uppmaningarna förklingade ohörda och bemödandena att skingra folkhopen blevo resultatlösa. Arrendatorn S. J. Bladh från Tonnarp i Södra Vedbo, vilken där ägde ett större brännvinsbränneri, antastades och fick flera knuffar, men blev genom personers mellankomst fredad från vidare misshandel.
>
> Kl. 1/2 12 på natten skingrades dock folkmassan, sedan den i spridda flockar tågat genom en del gator och tre av upprorets upphovsmän förklarade, att de skulle återkomma följande dag, varför de tre anbefalldes att nästa morgon kl. 8 infinna sig hos borgmästaren.
>
> Följande dag kl. 1/2 9 på morgonen intågade på borgmästarens gård en stor samling arbetsfolk, som efter hand fyllde hela gårdsplanen. Då borgmästaren efterhörde deras ärende svarade de, att de ville att denne hos k.m:t skulle utverka förbud mot utförsel ur riket av spannmål och potatis. Borg-

mästaren erinrade då, att oordningar och våldsamma åtgärder till nedtvingande av priset å spannmål kunde föranleda, att allmogen bleve mindre benägen att torgföra sina varor, varav åter måste följa, att varupriserna ytterligare komme att stegras samt påminde om att det ej var lovligt att framställa fordringar på sätt här skett. Härtill svarades ur hopen:
"Det är bättre att sitta på fästning än att svälta ihjäl".

Därifrån begav sig folkmassan åter till handlanden Lindmans hus, där samlingen alltjämt ökades. Denne hade lovat att sälja ett parti råg om 50 à 60 tunnor till det billiga priset av 17 rdr tunnan, men folket ville att även rågen skulle utköras på torget. Under dagens lopp genomströvade folkskarorna i mindre flockar stadens gator, sammanstötte med polisen, som flera gånger måste dra sig tillbaka, sönderslog fönsterrutor, utövade under förfärligt oljud en skändlig förstörelse å häradshövding Fricks vackra byggnader å Dunkehallar, kastade större och mindre stenar in i en del andra hus samt våldförde sig mot och sårade mer eller mindre svårt flera personer, som sökte avstyra upproret.

Tidningen beskriver upplösningen så:

Så småninom ebbade upproret ut, priserna stabiliserades och borgarna återgick till vardagens fredliga värld. Ännu lever i Jönköping minnet av det stora brödupproret.

Smålands stora järnklump

Numer kan man åka bil ända upp på den lustiga kalott som är Tabergs högsta punkt. En slingrande väg går genom skogen förbi en gammal bergsmansgård och ända upp på platån, där både Oskar II och Gustav VI Adolf skrivit sina namn på 343 meters höjd över havet. Det har blivit en riktig turistväg. Är man i denna del av Småland måste man upp på berget och se ut över högplatån ända bort mot Isaberget, Tomtabacken och den blånande, ibland vresiga, Vättern. Den är den klassiska utsiktspunkten.

För geologer är det intressant att läsa i bergsskärningarna och i de skiktade sandlager som visar olika vattenstånd i Baltiska issjön. I denna forntida sjö, som knappast lämpade sig för friluftsbad, låg Taberg som en enslig ö.

Taberg med sin "järnklump". Till höger en av de gamla masugnarna från 1869.

Naturligtvis finns det en massa sägner omkring berget, men geologer och bergsmän är nog mest intresserade av vad man kan få ut av berget i klingande valuta. En stor del av Taberg är en "järnklump" som består av en vulkanisk bergart, magnetitolivin, som innehåller 30 procent järn. Man måste gå till Kiirunavaara för att finna en motsvarighet men Tabergsmalmen är mer svårsmält. Det har dock inte bekymrat en rad av de småländska hyttorna såsom Hörte, Åminne, Gyllenfors och Nissafors. Troligen började brytningen redan under medeltiden.

Mot slutet av 1800-talet upphörde brytningen för att tas upp igen på 1930-talet, ett kristidsföretag som upphörde för många år sedan. Berget har alltid varit ett stycke småländsk vildmark. Pilgrimsfalken häckar inte längre i de branta stalpen men man ser ofta kungsörnen segla över berget. Även rådjur kan man få se i skogsgläntorna.

Det är klart att Kronan kastade giriga ögon på detta järnberg. Carl IX var där i egen hög person och snart var malmbrytningen i full gång, hyttor och hammare anlades. Under Gustav II Adolf blev det riktig fart på bergsbruket sedan kungen, som också personligen besökte berget, inrättade Tabergs bergslag, Först då mobiliserades allmogen runt omkring berget för att bryta malm, bränna kol och bygga masugnar. Det blev en livlig bergslag där till sist fjorton masugnar var igång och denna högkonjunktur varade ända till mitten av 1800-talet.

Under 1970-talet levde bergsbruket upp för några veckor. På initiativ av ingenjör Harry Bergenblad under medverkan av den lokala hembygdsföreningen och en rad arkeologer grävde man ut en gammal hytta, satte den istånd och fick många goda erfarenheter hur det gick till när man i gamla tider smälte ut järn.

Vid Taberg har forskare och hembygdsvänner grävt ut gamla ugnar som använts vid järnframställning långt före masugnarnas tid.

Tabergs Bergslag har också en hembygdsförening av det stabila och effektiva slaget. Man ser det genast på den gedigna årsboken, det är samma höga klass som i Huskvarna. Vad man gjort här utom de vanliga insatserna för forskning och hembygdspropaganda är inga småsaker: en riktig kolmila har uppförts i Boeryd efter konstens alla regler (en påminnelse om vad Linné såg på Taberg 1741, när milröken överallt steg mot skyn i den höstliga luften). Vidare har man undersökt en gammal blästerugn, som givit nya intressanta rön om den äldre järntillverkningen. Det är hembygdsföreningen som stått för arbetet. Vetenskaplig ledare har varit Lena Thålin-Bergman vid Statens Historiska Museum. Även här har Harry Bergenblad varit med, fotograferat, givit goda råd. Bergsbruket har levt upp igen.

Den småländske Pan – Albert Engström

Under en av Albert Engströms teckningar i Strix står följande ord:

> Här i Hults socken i Småland är vi bönder så hälsekes magra, så dä växer inget gräs på körgårn!

Albert är själv med på bilden, en av de magra och man ser med vemod på de utmärglade gestalterna. Det är en av de få historierna i Strix som troligen kommer från ursprungsorten och den speglar på ett självironiskt sätt den fattigdom som en gång varit.

Fattigdomen är nämligen det som först möter en i Engströms småländska folklivsskildringar. Han var född 1869 och som barn upplevde han fattigdomen, svälten, trångboddheten. Ett par av hans tidigaste noveller är också "Fattigstugan" och "Nödåret". Det ligger en riktig tanke i att just dessa stycken uppföres varje sommar i hans gamla socken. Det var i Hult han växte upp. På kyrkogården finns hans grav och minnessten. Hans barndomshem har flyttats till hembygdsgården på Dunderbacken. Där står också fattighuset, som han gjort odödligt med sina noveller, liksom kyrkstallar och andra hus från den tiden.

– Här i Hults socken i Småland ä vi bönner så hälsikes magra, så dä växer inget gräs på körgårn. Albert Engström, Strix 1901.

Albert Engström på museum! Det känns vemodigt och främmande att hela denna bygd, som står så levande för oss i Albert Engströms berättelser flyttats bort och konserverats i bygdemuseets tunna luft. Men så är livet, och man får inte glömma att flyttningen är ett utslag av stark pietet, ett tecken på vördnad för en av Smålands största söner. Det må vara med husen hur som helst – men människorna lever sitt odödliga liv, Regenta och gubben Sjöstedt, "oböjd av ödet, hård som flinta", soldaten Grejsen, Muffa-Lotta och Johan Petter Blinningen, Rallarna och den första järn-vägen, lokomotivet Turfy och dess förare, som lät sexåringen Albert köra loket mellan två stationer på Nässjö–Oskarshamns järnväg. Och dit hör även gamla Malla i sin stuga och dottern som kunde dricka och ta en karl i kragen och Munken och Kungen och alla de andra... Mästerliga bilder från det Småland som inte längre finns. De lever alla sitt liv i Albert Engströms böcker, skrivna under en tid då, som Albert Engström uttrycker det, ännu timmerstugorna sjöng sin sång och skvaltkvarnarna malde i bäckarna och det var långt mellan boningarna.

Kvar i läsarens minne står för alltid hans barndoms landskap: Skurugata och Skuruhatt med sin vida utsikt över det djupgröna landskapet, där vita kyrkor blänker i fjärran; vildmossen och tjärnen, där stora gäddan fanns, och hjortronen, kräftorna, tjädrarna!

> Ibland det härligaste jag minns från min ungdom är de småländska hjort-ronmyrarna med martallar, försvinnande mot horisonten och under dem en matta av vitmossa med pors, hjortron, ängsull och odonris. Det var sommar och alla slags mygg och andra flygfän flög över mig. Varje träd var som en orgel, full av flygfämusik...

När Elin Wägner vallfärdade till denna bygd kring Emåns källområde, fann hon allt som Albert Engström beskrivit men mindre i proportionerna och märkvärdigheten – det var pojkfantasien och den litteräre skaparen som förstorat och lagt på färg. Men allt fanns där, t.o.m. den hemlighets-fulla källan, "djup som fan"; när man kastade en sten i den "får man vänta en kvart innan bubblorna kommer upp".

Albert Engström älskade Småland, både idyllen och det skrämmande, det skimrande och det milda. Och i skogarna kring Skuruhatt bodde den småländske Pan med älgklövar (istället för bockfötter) och med ragg av granlav, vittringen var en blandning av tallbarr, en och björk; en aning av hägg och liljekonvalj kunde också smyga sig in! Så har aldrig någon författare skildrat den nordiske – den småländske Pan.

Från sin utgångspunkt ser han också ut över röda och grå gårdar och med samma ömhet ser han på de människor av renaste guld som bor i denna karga bygd, sega arbetare som brottas med sin fattiga jord. Han lovsjunger den sega energin och en humor mer värd än gruvor och malm.

De är av *ras*, de är vår aristokrati och levererar staten det förnämligaste människomaterial.

Sällan har någon författare – i ord och bild – så tecknat ett folk. Småland kan som vi sett visa prov på skiftande, diametralt motsatta landskapstyper. Det gäller också människornas kynne. Vilket svalg är inte befäst mellan Finnvedens tunga allvar (dämpade glädje) och Tjusts öppna leende (skönhet, glädje); mellan Nordvästsmålands väckelsebarns patos (allvar) och Värends ljusa optimism.

Därför är det helt i sin ordning att Smålands författare är så olika till temperament och lynne som just Albert Engström och Pär Lagerkvist, med skilda livsåskådningar, med olika sätt att se och skriva. Och ändå har de någonting viktigt gemensamt; att i stor kärlek till hembygden lyfta dess människor och natur upp i ljuset för att beskådas och förnimmas av oss och dem som kommer efter oss.

Albert Engström på museum

Den lilla timmerstaden vid Eksjöån har genom tiderna bibehållit mycket av sin charm och trivsamhet och ändå följt med i tiden. Hela kvarter av präktigt byggda knuttimrade hus står kvar och varken arkitekter, stadsplanerare eller moderna affärsmän har lyckats sudda ut bilden av tjusande idyll. Men så har den också medeltida traditioner. Efter våldsamma ödeläggelser under nordiska sjuårskriget byggdes den upp intill den medeltida kyrkan av Arendt de Roy ("Arendt byggmästare").

Det har i olika sammanhang talats om den småländska oxhandeln. Här hade den en av sina stora centraler. Vid marknadstiden drevs oxar till staden på alla vägar. Långt in på 1800-talet var Eksjö en av de stora vägknutarna, sedan kom stambanan och Nässjö och sedan kom bilarna och motorvägarna. Men Eksjö ryckte upp sig igen och idag strålar femton busslinjer samman, där oxdrifterna en gång möttes. Även Smålands husarer som har mötesplats på Ränneslätt, har gjort sitt till för att bevara staden från att somna in. Det märkvärdiga med Eksjö är att det mitt i all kommers bibehållit en kulturell finess. Pjäser från 1700-talets silversmide och tenngjuteri står ännu högt i kurs och det fina hantverket har ännu inte dött. För den som besöker Eksjö är det också en upplevelse att uppleva det kuperade landskap som är så typiskt för höglandet.

När man besöker en ny stad bör man också gå på museum – och här finns ett som sannerligen är väl värt ett besök. Det har en förnämlig samling. Upprättad av apotekare Carl David Carlsson från Göteborg, en gammal god vän till Albert och hans yngre bror Fredrik som också var apotekare. Museet är inrymt i det gamla Aschanska galleriet vid Österlånggatan. Där kan man få sitt lystmäte på Alberts konst, innan den förflackades. Där kan man skåda ett av hans bästa självporträtt. Där finns teckningar och fotografier från hans barndoms- och uppväxttid, hans karikatyrer av riksdagsgubbar, oljemålningar, pasteller osv. På en av väggarna är Albert Engström själv avbildad i frack och bockfot, en uppförstorad teckning från hans bok "En konstig blandning". Teckningar och målningar har också donerats av advokat Hugo Lindberg, brottmålsadvokaten som var född i Eksjö, och hans hustru Karin Kock.

1974 fick museet en utsökt gåva av hovsångerskan Marianne Mörner: 24 originalteckningar till utgåvan av "Pyttans A-B och C-D-lära" av J. A. Acke, Albert Engström, Verner von Heidenstam, Gustaf Fröding och Birger Mörner. Pyttan är som många vet identisk med Marianne Mörner, som av farbröderna fick en ABC-bok, vilken ännu läses med nöje av stora och små barn.

Endast det bästa är gott nog vid kungens bord

Skåningarna brukar som känt är se ner en smula på sina grannar smålänningarna och samtidigt yvas en smula över att de haft så många representanter bänkade vid kungens rådsbord. Känd är historien:

– Jaså, Du har minsann varit uppe i kungliga huvudstaden! Vem råkade Du där?

– Ja, det var mest skåningar – jag gjorde nämligen uppvaktning i regeringens korridor!

Smålänningarna brukar inte bli svaret skyldiga. En gång besökte jag en bonde utanför Ljungby. På köksväggen hade han ett gammalt klipp ur Smålänningen 1906. Där kunde man se "Fyra smålänningar i nya ministären".

– Det var på den tiden, sa bonden, då det endast dög med det allra bästa vid kungens bord. Petersson i Påboda, en duktig bonde, han blev jordbruksminister, Tingsten var krigare och han blev krigsminister, Hammarskjöld, en fint bildad karl, han blev förvisso minister för kultur och kyrka och juristen Hederstierna han gav dem goda råd.

– Men det finaste av allt, fortsatte min sagesman, det var att allihop de här var smålänningar!

Krigsministern
L. Tingsten.

Ecklesiastikministern
H. Hammarskjöld.

Jordbruksminister
Alfr. Petersson.

Konsult.statsråd
Carl Hederstierna.

Fyra smålänningar i nya ministären.

Jag höll med honom att det fanns duktigt folk i Småland, men att man för den skull inte behövde se ner på skåningarna.

– Nej, svarade han, det skall vi inte, men se regera landet det kan di inte!

Så fortsätter gnabbet landskapen emellan – troligen sen hedenhös. Skåne – Småland, Värmland – Dalarna, Hälsingland – Medelpad. Men kanske är skärpan lite extra vass mellan smålänningar och skåningar, det var ju mellan dem riksgränsen gick en gång.

40

Åter till statsråden. Det har funnits fler än de fyra nyss nämnda. Den mest namnkunnige var Torsten Nothin, prästson från Fryele och med i flera regeringar från Branting – Thorsson till Per Albin. Han var vän med de politiska jättarna från 20-talet och övade ett stort inflytande på regeringsbildningen när Branting trädde till. Han var en kunnig jurist med utmärkt administrativt handlag och en viljekraft utan gräns.

På ferierna brukade han bo på Sjöåkra, ett litet vackert ställe utanför Värnamo. Jag blev inbjuden dit för att hjälpa till med en hembygdsskildring Nothin just då förberedde. Jag mötte en blid, varmhjärtad hembygdsvän, fylld av kärlek till sin bygd, stolt över dess traditioner. Det blev oförgätliga rundfärder till fädernebygden, där vi på Fryele kyrkogård beskådade gravvården med den gapande vargen (rest över en gammal vargjägare, som omkommit i en vargjakt). Vi stannade i andakt framför föräldrarnas vita gravvård med en inskrift som vittnade om församlingens djupa kärlek och uppskattning; vi vandrade över forntida gravfält där Torsten Nothin berättade sägnerna om ett slag mellan danskar och smålänningar – här skulle de ligga jordade. Hans temperament kunde bryta igenom den lugna ytan. När jag tolkade högar och rösen som gravfält från järnåldern då kunde han med myndig röst genmäla att dessa sägner hade han hört av gamla kloka män och han trodde mer på dem än lärda män från Stockholm.

Vi kom dock bra överens, och jag lyssnade med nöje till hans fängslande berättelser om den självlärde skomakaren F. V. Thorsson, som blev finansminister. Han gästade prästgården i Fryele, medan Torstens far levde och gjorde sig omtyckt både av värden (som då var änkling), den stränga hushållerskan och den minsta tjänstepigan på grund av sitt vänliga sätt och sin personliga värme. Det var den gamle agitatorn!. På kvällarna satt vi och pratade i vardagsrummet. Ämnena skiftade. Han berättade om hövdingen Branting, om F. V. Thorsson, vars vänskap han satte mycket högt och om Per Albin och P. E. Sköld. Med den senare hade han många gräl men uppskattade hans klara hjärna och enastående viljekraft.

Sedan Nothin blivit pensionerad brukade medlemmar av regeringen resa ner till Sjöåkra för att få råd av den äldre statsmannen. Vid en sådan utfärd gick Sköld ner för att mata svanarna vid den närbelägna sjön. Fåglarna var en aning aggressiva och började ilsket kackla på statsrådet. Denne trädde närmare och började skälla igen. Efter en stund var försvars-krigsminister och svanar inbegripna i ett högljutt gräl! Det var typiskt för den gode Sköld menade Nothin.

Många andra gästade Sjöåkra, t.ex. läkaren Johan Waldenström, brorson till den store P. P. W. Under en utfärd stannade deras bil vid en liten gård, en äldre man kom ut och hälsade och Torsten Nothin presenterade sin vän med orden: "Här har Du en riktig Waldenströmare". Bonden som var en gammal frikyrkoman, tittade på den store läkaren, fylld av andakt, sträckte ut en hand och vidrörde honom liksom för att få helig kraft. Så stor var respekten ända in i vår tid för frikyrkorörelsens ledare.

På äldre dar var Nothin ganska aktiv i den praktiska hembygdsrörelsen och tog bl.a. initiativet till den s.k. Finnvedsriksdagen. Finnveden låg med sina gamla gränser inom två län och detta ville han råda bot på genom en "utomparlamentarisk" organisation. Det blev ganska livliga debatter, hembygdsvänner och kommunalmän slöt upp och dryftade gemensamma angelägenheter. Men den myndige Thorwald Bergquist i Växjö – en annan av de smålänningar som suttit vid konungens rådsbord – gillade inte denna rebelliska församling. Sedan Nothin gått bort miste den också betydelse.

Thorwald Bergquist, också han prästson, var säkert en av Smålands populäraste landshövdingar genom tiderna. Han kunde tala med bönder på bönders vis och med lärde män på latin. Därtill var han en folktalare av rang, hade lätt för att finna ord och besatt humorns gudagåva. När han stoppade och tände sin pipa och småpratade med omgivningen på sin mjuka dialekt kunde ingen motstå honom. Ändå var det en kraftkarl och han styrde sitt län med fast hand och med engagemang in i detaljerna. Han erbjöds många höga poster (bl.a. som universitetskansler) men stannade i Växjö. Se, det var en hövding i smålänningarnas stil och anda. Skulle någonting läggas honom till last var det hans lust att ingripa även i ärenden som underlydande lätt kunnat sköta. Det var inte så lite av Gustav Vasa över hans sätt att styra och ställa med "fogdar och hövitsmän", men hans hand var mjukare och rösten aldrig pockande.

42

Vi gjorde en gång en rundtur i hans län. Han kände sitt län, han visste vem som bodde i gårdarna, han hade stor hjälp av sitt enorma minne. Vi stannade vid en av de stora åsarna, steg ur landshövdingebilen och gick upp i terrängen. Landshövdingen ville på nära håll se läget på ett planerat grustag. När jag undrade om en landshövding skulle behöva springa omkring i backarna och syna grustäkter – det fanns ju åtskilliga sådana i det grusrika länet – svarade han småmysande:

– Ser Du, i Stockholm satt jag år efter år på min taburett och granskade papper och fattade beslut som jag aldrig såg verkställas. Nu har jag fått en ställning som ger mig möjlighet att följa besluten och råka människorna som skall verkställa dem. Jag finner en stor glädje i detta.

Hans efterträdare Gunnar Helén blev kanske inte lika populär trots att han var en dugande man.

Han kunde också le mycket vänligt men det var som om leendet stelnade till lite för fort. Kritiska smålänningar ville också göra gällande att han försökte imitera president Kennedy. Vid den första mottagningen på residenset presenterade han sig med orden: "Det är jag som är gift med Ingrid" (hans fru var småländska). Orden förde tanken till Kennedys ord när han kom till Paris första gången som president: "Jag kanske får föreställa mig – det är jag som är gift med Jackie!" Jämförelsen gick liksom inte riktigt ihop. Detta kunde kanske bero på att den nye hövdingen satte upp förbudsskyltar vid trappan till residenset:

"På grund av nedskräpning som tidigare förekommit är residenstrappan ej längre tillgänglig för allmänheten". Det gjorde hövdingen impopulär och inte ens Ingrid kunde rycka in med en hjälpande hand.

Sedan blev Helén partiledare och Lars Eliasson blev hans efterträdare. Det morrades en del i kronobergarnas län, ty Eliasson var ju dalmas, och det var nästan lika illa som om han varit skåning. Men vad hände. Det första Lars gjorde var att plocka ner förbudsskyltarna. Ett ljust leende gick över de småländska bygderna, och Lars blev en populär hövding.

För några år sedan hade Kalmar län en ovanligt dugande och mång-intresserad landshövding, Ruben Wagnsson. Han styrde sitt län med kun-nighet och humor.

Svårt hade nog den snälle Persson i Skabersjö som kom från andra sidan gränsen och aldrig lärde sig tala riktigt till de östsmåländska bönderna. Sedan kom den temperamentsfulle Erik Westerlind, som ansåg sig utkastad från det kära Stockholm och offentligen beklagade att han skulle tvingas bo i det avsides Kalmar. Länge nog pendlade han mellan kungliga huvudstaden och Kalmar. Det var ingen god begynnelse men se, den hetlevrade stockholmaren har klarat sig ganska bra på grund av sin duglighet alldeles som Skabersjö gjorde genom sin hygglighet.

Men se Bergquist ...

Ute blåser sommarvind

Med en musikalisk vän gjorde jag en sommardag en vallfärd till Askeryds kyrka. Denna ort är väl inte vida känd – det är ju endast en liten vrå av Småland. Men för oss hade den en speciell lockelse. Där i Askeryds och Bredestads församling bodde och verkade kyrkoherde Samuel Hedborn, kanske en av de mest originella präster som funnits i Jönköpings län och en psalmdiktare av stort format.

En helt betagande väg längs Assjöns strand leder till kyrkan, en av de få medeltidskyrkor som ännu står kvar i dessa bygder. Den har en stilfull klockstapel vid sin sida. Prästgården ligger på en höjd vid sjön. Landskapet är nordsmåländskt med skog och höglandsnatur, med lövskog runt husen och rester av gamla ängar och hagar. Det är en idyll som verkligen måste ha passat den store romantikern, psalmdiktaren och poeten Samuel Hedborn.

Vi satte oss i kyrkan, såg upp mot de medeltida valvmålningarna och lät blicken stanna vid den barockpredikstol som 1642 skänktes till kyrkan av presidenten Gustaf Bonde. Det var från den predikstolen som Hedborn predikade – ofta för döva öron – under åren som pastor i Askeryd (1820–1849). Hela sin långa livsgärning utförde han på denna plats, mognade som psalmdiktare och blev med tiden en visdiktare med inspirationskällor i naturen och folkvisorna.

Allt var så tyst i kyrkorummet, men när min vän sakta började nynna Hedborns melodier hör jag hur det brusar som av mäktig orgelmusik.

Nu segrar alla trognas hopp ...
Höga majestät, vi alla
för Dina fötter nederfalla.

Ett sekel och mer försvann – vi fångades av dessa sällsamt majestätiska psalmer, som "lyfte hymnens tempelväv". I dikten låg Hedborns styrka, och hans vän Atterbom som han flitigt brevväxlade med satte honom högt bland nyromantikens diktare. Någon stor predikare var han inte; hans förkunnelse bestod ofta av milda poetiska utgjutelser. Minst av allt var han en domedagsprofet. Han insåg det själv och bekände öppet:

Jag kände ej Djefvulen och kunde ej beskriva honom.
Jag tecknade blott Gud och i sälla hymner.

Sommarvinden susar i askar och ekar när vi går ut ur kyrkan mot den "vill-vall-välvande" Assjön. Ängsmarken blommar. Här är det tid att rasta och ingenting ter sig naturligare än att min vän hyllar visdiktaren genom att sjunga den betagande visa som kanske är det mest bestående minnet av den olycklige naturdyrkaren!

Ute blåser sommarvind,
göken gal i högan lind.
Mor hon går på grönan äng,
bäddar barnet blomstersäng,
strör långa rader
utav ros och blader.

Ängen står så gul och grön,
solen stänker guld i sjön,
bäcken rinner tyst och sval
mellan viden, asp och al.
Bror bygger dammar
åt sin såg och hamnar.

Syster sopar stugan ren,
sätter löf i taket se'n,
uppå golfvet skall hon så
liljor och konvaljer små,
rosor så rara:
där skall barnet vara.

Skeppet gungar lätt på våg,
med sitt segel, mast och tåg,
gångar sig åt främmand' land,
hämtar barnet pärleband
kjortel av siden,
skor med granna smiden.

Det är poesi av det slag som har sina rötter i folkvisans mylla. Atterbom kallade också Hedborn "folkvisans vän". Det är Bellmanstraditionen som fortsätter, en poetisk realism. Just denna visa lever ännu kvar genom Frans Berwalds, Alice Tegnérs och Lille Bror Söderlundhs utsökt fina tonsättningar.

Troligen har Hedborn, en fattig soldatpojke från Heda i Östergötland, ärvt sina anlag från modern. Hon var en bonddotter från Askeryd. Hennes värld var inte bara bibeln och psalmboken utan också körsbärsklasen, blomkvasten och honungskrukan. Hon gav sin son Samuel inte endast ett religiöst arv utan också den glädje och ömhet, som lyser igenom i hans dikter; hon gav honom kärlek till folksagan och visan, som satte spår i några av våra vackraste barnvisor. Så fick vi genom henne, förmedlad av sonen, vår klassiska barn- och vaggvisa.

Det var Torsten Fogelqvist som skrev att man "känner granrisdoften från hennes kammargolv och björklöv från förstukvisten; ur stugan ljuder sången och humlan surrar bland riddarsporrarna."

Även om allt Samuel Hedborn skrev inte är stor dikt skymtar dock närheten till naturen och den naiva folkvisetonen i det han diktar. Naturen är fylld av älskande fåglar: orren, lärkan, duvan, trasten, svalan och tättingen – även "skatan timrar på sin bröllopssal". Och "svanens segel mellan vassen glimmar, där han ankrar vid sin makas bröst". Det är den borne romantikerns syn han förmedlar till folket. Det blev en ny slags

46

predikan, där Psaltarens herdestav, grönskande ängar och klara källor blev ingredienser i en folklig förkunnelse.

Nu går vi alltså här i den ensliga bygden hundra år efter hans död och ser den fattige prästen framför oss. Han hade inte stor framgång i livet – ofta var det kiv med bönderna om tionden eller försummade reparationer av den dragiga prästgården. Hedborn fann sig nog ganska instängd i Askeryd och Bredestad. Men han höll kontakt med sina vänner – Atterbom, Jonas Hazelius (far till Skansenskaparen), Carl Jonas Love Almqvist, Arvid August Afzelius och många andra i den nyromantiska kretsen i huvudstaden, i Uppsala och här och var på de mellansvenska godsen. Han reste så ofta han kunde, både för att träffa vänner och få luft under vingarna. Så som han ofta gjort i sin ungdom när han utsträckte färderna ända till Kinnekulle ("av vad han sett i världen har intet haft en så blå färg som denna trakten, vars horisont är både skön och ryslig genom sin vildhet").

Herden i Askeryd och Bredestad var innerst inne litet av en vagabond – eller varför inte en Gösta Berling – lättrörd, oemotståndlig, kvinnornas älskling med en aldrig dämpad kärlek till "klaver, harpa, luta och sång". Efter många friarfärder, även på de småländska gårdarna, och åtskilliga "romanser" fastnade denne lekare till slut i – Askeryds prästgård. Han började sin tjänstgöring i maj 1821 och redan under sommaren stod bröllopet med företrädarens änka, den 34-åriga Henriette Ellenora Luthander, född Gyllenram.Hedborn var då utfattig och förföljd av kreditorer; nu fick han del av nådårsinkomsterna och ett hem. Någon het förälskelse var det nog inte men han kom bra överens med den unga änkan och hans tungsinne mildrades tidvis.

Hedborns ekonomi var urusel och han hade ett tungt lass att dra. Familjen växte. Utom de tre barn änkan förde med sig i boet tillkom fyra i det nya äktenskapet (tre döttrar och en son, varav en dotter dog i späd ålder). Därtill kom två fosterbarn, som den barnkäre poeten tagit hand om. Tio munnar att mätta! Och så därtill bekymmer med besvärliga hjälppräster, tredskande bönder och en ofta kallsinnig församling. Det var ofta isiga vindar som blåste över Askeryd.

Bilden av en smålandssocken på 1820–30-talen skulle inte bli fullständig om man inte nämnde den utbredda supseden och den allmänna råheten. Askerydsbygden var inget undantag och den opraktiske herden stod ofta handfallen inför hårda uppfostringsproblem, som krävde resolut handling.

Hedborn blev före Wieselgren en nykterhetens apostel; han förordade måttlighetsdrickande: "icke vattna med brännvin varje tugga Du sväljer – endast "en enda sup vid känslan av illamående". Supseden, barnsupningen och allt som följde i dess spår: dans, lotteri (!), kortspel och dobbel, bekämpade han. I en skrift berättar han drastiska ting: hur en moder diar barnet ömsevis med bröstet och brännvinsglaset eller hur skjutsbonden, som får en sup efter avslutad resa, också rekommenderar sin späde son "till lika undfägnad". En dyster tidsbild från 30-talets Småland, innan Wieselgren och hans nykterhetsrörelse slagit igenom.

Denna sommardag när vi vandrar längs Assjön mot den gamla gästgivargården i Bona är idyllen levande – de mörka skuggorna borta. Jag hör åter hans visa nynnas:

> Skeppet gungar lätt på våg
> med sitt segel, mast och tåg
>
> Ängen står så gul och grön
> solen stänker guld i sjön.

Och man kan väl förstå Rääfs omdöme: "I Hedborns visa bor en gud." I ljusa ögonblick kunde den lättrörde skalden tala om det gudomliga Askeryd som ett Paradis, dit han inbjöd sina vänner. Det som höll honom uppe var blommorna, "luftens färger och molnens tåg, askarna vid kyrkogården". Barnen och visans toner fanns alltid i hans sinne. Annandagjul 1849 gick han bort, denne egenartade poet, "vänd mot fönstret och vintersolen".

"Vid Värnamo på marknaden ..."

Så har till sist Jönköpings gamla lydköping, Värnamo, blivit en riktig stad med stadshotell, ståtliga varuhus och en mördande trafik genom Storgatan. Som ett väldigt stråk drar den moderna vägen genom stadens centrum, över den niovalvade Lagabron, som vid sekelskiftet var bäddad i lummig grönska och över den plats som en gång varit marknad. Nu har snabbköp och varuhus och all sköns affärer ersatt de gamla marknadsbodarna.

Man undrar bara varför inte de styrande i tid hade kunnat dra detta väldiga trafikstråk vid sidan om staden, som man gjort på andra håll. Kanske har man varit rädd att skära av den omistliga idyllen Apladalen, den vackra lövängen med sina ekar och bodar.

Marknadsbodar i Värnamo 1866. Teckning av Bengt Nordenberg.

De gamla husen i Apladalen är nästan det enda som berättar för oss att detta är en urgammal plats. Den är belägen vid det vadställe, där landsvägen skar sjövägen – den urgamla pulsådern Lagan som öppnade förbindelser från stora världen långt upp i Götaland. Fornminnen runt omkring berättar på sitt kärva språk om minst 2000-årig historia. Tingsplatsen fanns redan på 1200-talet, även marknaden har medeltida, kanske forntida anor. Ingenting av detta speglas i köpingens ansikte och ännu mindre i den unga staden som blev till 1920.

Snoilsky rörde vid platsen med sitt trollspö.

Vid Värnamo på marknaden
en aftonstund det var,
då Per och Kersti bytte ring
som troget fästepar.
Sen skildes de att taga tjänst,
envar med mod och hopp.
"Om sex år ses vi här igen" –
så hade de gjort opp.

Mer än något annat bidrog hans dikt att ge berömmelse åt Värnamo marknad, som inte bara var en plats där kreatur och vardagsvaror bytte plats utan också där unga människor träffades och bildade hjonelag. Nu överlämnar vi åt uppslagsböcker och speciallitteratur att sprida vidare kunskap om Värnamo. Men ur stadens unga historia ger vi några glimtar. Den 1 november 1920 blev köpingen Värnamo Stad. Man skämdes lite smått för sin "kråkvinkel" – det här skulle ju bli en stad. Ett särskilt gott öga hade man till kullerstenarna på Stortorget! Tuktad sten skulle det ju vara. Två lag stensättare sattes igång och man startade på Storgatan under överseende av köpingens allt i allo Anton Sundin. Han var den som sedan blev stadens förste borgmästare, mycket därför att man inte ansåg sig ha råd att skaffa sig en dyr jurist. I många år fungerade Sundin som oavlönad borgmästare och staden sparade pengar (föredömlig småländsk sparsamhet).

Den nya stensättningen skulle vara färdig i god tid före den stora dagen. Stensättarna var glada gossar och tillhörde inte någon av köpingens nykterhetsföreningar. När de bara hade ett tiotal meter fram till Åbron, började de skönja slutet och tog ut festglädjen i förskott. Polis Törnqvist ryckte ut och förde samtliga stensättare till det lilla näpna häktet bakom Gästis. Det var dagen före den 1 november. Landshövdingen själv skulle komma. Värnamo skulle bli rikets etthundraelfte stad. Huvudgatan låg delvis uppriven. Skulle den hinna bli färdig? Då ingrep stensättarbasen. Han tågade in på polisstationen och ställde ultimatum: varvid han utnyttjade sina kamrater i finkan som en slags gisslan, och röt till den uppskakade "polischefen":

– Släpp ut mina mannar å momangen, annars blir ingen gata klar när landshövdingen kommer i morgon!

Ingen kompromisslösning var möjlig. Stensättarna släpptes ut och arbetade långt in på sena natten. Den 1 november låg gatan klar och Värnamo blev stad med äran i behåll, men långt dessförinnan, 1903, kunde köpingen skryta med en egen världsutställning, Östbo härads lantbruksutställning på Galjamon utmed Jönköpingsvägen. En stor del av djuren kom från Hörlö och dess utgårdar, där järnvägsbyggaren Carl Jehander hade gjort konkurs och de nya ägarna ville gallra och förnya djurbeståndet. Även häradets industrier och hantverk visade vad de kunde. Det bjöds både "bröd och skådespel" och ett nöjesfält av imponerande slag visades upp. Det var den gamla marknaden som återuppstod i ny skepnad.

> Varken i Paris, Rom eller Chicago hade man iakttagit mer storartade utställningsplaner än här i Värnamo, skrev en av köpingens mest kända medborgare, krönikören Thure Sällberg: Och äro vi verkligen så mäktiga, så dråpliga och härliga, är vår ort så väldig att den kan inbjuda tjugonde seklets samtliga jordevandrare till en världsutställning, sådan som endast de stora metropolerna och milionstäderna hittills kunnat åstadkomma? Ty sanningen att säga har jag hvarken i Paris eller Gislaved, Filadelfia eller Hvetlanda, Chicago eller Nässjö, Helsingborg eller Ljungby, Malmö eller Brösarp, Köpenhamn eller Gomorra, ej heller uti de heliga städerna Rom och Jönköping, vid utställningstillfällen iakttagit mera storartade planer än här vare sig för utställningarnes utsträckning i rummet eller uti deras ordnande för övrigt.

Ännu berättas många historier om den originelle Sällberg, vars krönikor publicerades samtidigt i ett trettiotal tidningar. Han var känd över hela landet liksom familjen och många av vännerna. Nu har han till och med fått en gata uppkallad efter sig, i dess förlängning låg hans vackra hus med snickarglädje. Där vilade inga ledsamheter. På den stora tomten odlade man havre och råg och nära huset låg potatisåkern. På gaveln stod körsbärsträdet som användes av de vilda pojkarna för att komma in i sitt rum en trappa upp. De var "naturälskare" och hade till de vuxnas skräck t.o.m. huggormar i sitt rum. Dessutom hyste de tama hökar och fångade kattor för att stilla deras glupska hunger. Det fanns knappast några tama kattor kvar i denna del av köpingen.

Det hände alltid sällsamma saker i hemmet. En av umgängesvännerna var den före detta danske cirkusdirektören Glaurt som till sist blev utvisad ur riket, därför att han kommit i bråk med polisen i Värnamo. Glaurt hade blivit upprörd över att han anmälts för "felparkering": han hade nämligen bundit sin ponny på förbjuden plats. Det var en upptågsmakare av stora mått. När danske kungen dog, kom han ridande på sin ponny tillsammans med sin stora hund. Han red rakt in i Sällbergs hus, runt matbordet där familjen just åt middag, saluterade med dragen värja och red bort utan ett ord.

Det var några glimtar från Värnamo, när seklet var ungt.

Och Snoilsky bjuder farväl:

> Så råkas vi om sex år då
> På nytt vid Värnamo?

En vildmark vid E 4:n

Den nya tiden har för länge sedan brutit in över Värnamo med brusande och hård trafik genom affärsstråket; ingen kringfartsled har varit påtänkt här – och man kommer snabbt att glömma den romantiska synen över Vidösterns vatten, och man tänker inte på idyllen Apladalen. Därför blir förvandlingen så plötslig, nästan chockartad, när man far vidare på E 4:n och plötsligt glider in över en vildmark, där tranor ropar över vidderna och spoven spelar på sin flöjt.

Vi har nått in över Store Mosse, "Tio tusen hektar avskildhet", endast några kilometer nordväst om Värnamo. Det är Sveriges ojämförligt största mosse söder om Lappland. Den upptäcktes så sent som i slutet av 1800-talet av den kunnige och varmhjärtade småländske naturvetaren Edvard Wibeck.

Store Mosse. Utsikten vid Björnekulla över södra delen av mossen. Foto Tomas Nihlén.

För detta stycke småländsk vildmark som inte nämns i många resehandböcker före 1800-talet kämpade Wibeck i hela sitt liv. Det var framförallt fredandet av fågellivet han strävade efter. Den frågan väckte han redan 1905 men han lyckades inte vinna gehör för sina förslag förrän 1964. Nu

53

är området fredat. Det är förbjudet att beträda själva fågelområdet under den tid då sträck- och häckfågel håller till här.

En gång under förhistorisk tid täcktes mossarna av en väldig vattenyta, Fornholmen, som bildade en nästan sammanhängande vattenväg ända från Vätterns innanhav i norr till Västerhavet utanför Sydhalland i söder. Det var under den tiden som flyttfågelsträcket för vadare och simfåglar utformades, det som fortfarande går här förbi och fyller vidderna med sitt egenartade liv.

Kävsjön, ett av de kvarvarande öppna vattnen, är Sydsveriges artrikaste fågelsjö. Man räknar med att omkring 50 arter rastar eller häckar där: trana, sädgås, vipa, svan, storspov, ljungpipare, grönbena och en rad olika snäppor och änder.

Utsikt över Store Mosse från fågeltornet. Foto Tomas Nihlén.

Allt detta kan man se från det lilla fågeltornet som man når ganska lätt över markerna norr om vägen. Här kommer man rätt in i vildmarken. När man ser det närmaste gungflyet, den höga bruna mossytan och det blänkande blå vattnet tror man sig förflyttad till ett annat land, långt uppe i norr. Från tornet har man utsikt över strandängarna med sina talrika porsruggar och gräsmattan med sina låga starrarter och sin klockljung. Det är en helt betagande flora. Letar man sig ner på stigarna, och då bör man vara försiktig särskilt om man är ute på våren, kan man känna doften av pors och samtidigt höra sångsvanen komma farande till sina häckningsplatser.

Det finns många som har skrivit om Stormyr, många av vårt lands främsta fågelkännare, i första hand Edvard Wibeck. Många andra har följt i hans spår.

Gärna ville jag här ha Nils Tarras-Wahlberg som ciceron. Han är en av dem som trängt mossen och småsjöarna in på livet och hans skildringar har en betagande vildmarksstämning. Hör vad han har att berätta om Kävsjöns svanar:

> Mitt i flocken av svanar kan man lätt urskilja det häckande paret. Dessa bofasta ser inte gärna att nykomlingar gör försök att tränga in. Då flyger de an med väldigt trummande och får inkräktarna att fly. När detta är gjort möts paret i en slags triumfceremoni: fåglarna står bröst mot bröst och fläktar med vingarna och bugar med hals och huvud – det är säkert en urgammal instinkt som tar sig sådana uttryck. Även andra fåglar jagas bort av sångsvanen, som underligt nog skrämmer med sitt fängslande musicerande, parets rop är stämda i ters.

Mycket folk från olika håll, även långväga turister, lockas hit för att se de stora fåglarna, tranorna och hägrarna framför allt. Tranropen hörs på långt håll och visar vägen mot de gråklädda fåglarna som parvis kan ses här och var runt sjön. Från tornet händer det att man kan se sex häckande par på en gång. Räknar man med de andra kärrstråken och sjöområdena kommer man upp till tjugofem häckande par. Inte så underligt att många söker sig hit upp för att fågelskåda, ty här går sydgränsen för tranans svenska häckningsområde.

Med ånglok genom storskogen

Ångbåtar och järnvägar hör snart till Smålands historia. Av åror och segel var förr i tiden sjöarna fulla – Vidöstern, Bolmen, Åsnen, Helgasjön och alla de andra. Sommarseglatser, vinterfärder med kälke och skridsko, forntidsfärder ända in i vårt eget sekel.

Nu finns bara två ångbåtar i trafik: Thor på Helgasjön och Boxholm II på Sommen. Även om det mest är fråga om turisttrafik är dessa båtar fina representanter för alla de båttransporter, som bar upp en viktig del av Smålands näringsliv. Malm och järn till blästrar och masugnar, timmer till bruken, frukt, gödning och gjutgods till torghandel och grosshandlare fraktades på båt. Och så naturligtvis persontrafiken. I boken om "Ångbåtar på Smålands sjöar" har Lars-Erik Gustafsson dokumenterat ca 75 ångbåtar på 30 sjöar!

Trafiken på 1800-talets järnvägar var livlig ända in i vårt sekel. Stambanorna och de stora förbindelselederna finns ju ännu. Men de smalspåriga, smånätta "krösetågen" för transport av gods och människor är borta – nästan. Jag använde dem ofta under "järnspaningens" år på 20-talet, då kombinationen cykel-tåg visade sig vara ett utmärkt sätt att ta sig fram i de vidsträckta "sinnerskuteskogarna" i gränstrakterna mellan Kalmar- och Kronobergs län. Jag glömmer heller inte de smala spåren kring det stolta Jönköping.

En gång kom vi sent iväg – min unga fru och jag – och nådde på ett idylliskt, skramlande tåg Påryd med sista lägenheten för dagen. Vi steg av tåget och gick fram till stinsen. Jag frågade om det fanns något hotell eller rum för resande. Stinsen beklagade men ingenting sådant fanns. Jag föreslog djärvt att vi skulle få bo i väntsalen. Den vänlige stinsen bad oss vänta och försvann in i huset. Om en stund kom han ut och sade leende:

– Jag har talat med min fru, om ni vill hålla till godo med ett enkelt hem kan ni få bo hos oss.

Vi njöt av fin småländsk gästfrihet. Efter en stärkande kvällsvard med åtföljande pratstund somnade vi i det renaste av rum med stärkta gardiner och sommarängens blommor i höga vaser, kungaporträtt, gipskattor på byrån, trasmattor på golvet. Dagen därpå lämnade vi ändstationen på våra cyklar och for på slingrande grusvägar in i "slaggskogen". Nu susar bilen med 100 kilometers fart på asfalterade raksträckor. Man hör inte skogens sus – man saknar 600 mm:s spåret. Och nu är det smala spåret med dess lilleputtåg, stationshus och godsmagasin "satt på museum". Jag tänker på vad Johnny Roosval, konsthistorikern, sa en gång, en smula ironiskt.

– Sverige är redan så amerikaniserat, låt oss i kulturens namn sätta svenskheten på museum!

Nåja, så farligt är det väl inte men tendensen är ibland en smula vemodig, hur mycket man än beundrar de verkligt stora framstegen. "Utvecklingen" kan ibland rasa iväg för fort. Finns det inget mellanstadium mellan "krösetåg" och "superexpress"?

Den museiförening det här gäller tolererar man gärna: "Ohs Bruks Järnvägs Museiförening". Den är ett resultat av smalspårsromantiken, som den ännu upplevs i de små landen med de små tågen.

Ohs bruk med anor från 1600-talet skulle bygga en bana för sina godstransporter. Uppslaget kom från Paris-utställningen 1889. Där byggde fransmannen Paul Dévanville en lokal bana (600 mm:s spårvidd) på utställningsområdet, där sex miljoner besökare transporterades!

Året efter var den lättbyggda banan i Sverige (Helsingborg-Råå-Ramlösa) klar och snart var man igång vid Ohs bruk, som fått köpa spår, vagnar och ånglok från Helsingborg-Rååjärnvägen. 1910 var man klar efter tre års besvärligt byggande i svår terräng. Massaved och sågat virke och andra produkter transporterades söder ut. De små ångloken köptes från Berlin. Dessutom köpte man en liten ångare vid namn "Maggie". Det var mängder av timmer som flottades på sjön Rusken. Allt skulle söder ut och till en början skedde flottningen med s.k. spel men sedan fick man som sagt ångaren. Här var man listig: man byggde ett spår ut i sjön, vagnarna med timmer backades ner i vattnet och timret lastades – en ganska knepig småländsk uppfinning.

Men människorna, folk som skulle ut i världen från det isolerade Ohs? Jo, de som ville åka fick ta plats i en godsfinka eller uppe på lasset – salongsvagnar stod inte till buds! Som biljett tjänade ett intyg att man fick

Franska loket på Ohs Bruks Järnväg vid stationen i Bor.

resa och att man gjode det på egen risk...

På 1930-talet kom konkurrensen med bilarna och den ena efter den andra av de smalspåriga banorna lades ner. Ohs Bruks Järnväg blev en av de sista 600 mm:s banorna i Sverige. Den försvann så sent som 1967. Men järnvägen skulle återuppstå! Skrotfirmorna kammade noll – man rev inte upp spåren – och det rullande materialet stod kvar ute på den alltmer igenväxande banan. Det kom en ny väckelserörelse till Småland: rädda en stump av de gamla järnvägarna. Så gjorde man som på flera andra håll i Sverige – bildade en museiförening (1970), en slags hembygdsförening för

58

de nerlagda banorna. Banan röjdes, ett tjugotal vindfällen bröts upp, lok och vagnar anskaffades.

Några egentliga säkerhetsanordningar fanns inte då. När två tåg samtidigt var på banan kom man helt enkelt överens om var man skulle mötas! Nu har man byggt upp ett enkelt säkerhetssystem, lystringsmärken har monterats vid vägkorsningar o.s.v. Den 15 km långa banan trafikeras nu vid högtidliga tillfällen; hastigheten är maximerad till 15 km/timmen! Minnen och fakta strömmar till kring nätet av småbanor som växte fram sedan stambanan kommit till 1863. Mer än hundra år smålänsk historia – ekonomisk, social, sociologisk – ryms i dessa banbyggen. Man behöver bara tänka på vad som byggdes kring Jönköping, där järnvägen bröt ett kommunikationssystem med forntida anor; det blev "de många spårens stad" med bibanor i alla väderstreck.

Och år 1900 invigde Oscar II med pomp och ståt järnvägen Hönshylte–Kvarnamåla – vilka härligt smålänska praktnamn!

Det är framförallt Frank Stenwall och hans medarbetare som lagt grunden till denna nya del av Smålands historia.

Loket Nr 2 Emsfors ångar fram genom den smålänska skogen. Foto Lars-Erik Gustafsson.

Kronobergs län

Fattigdomens skönhet

Till de fattiga delarna av Småland, det som skapades av Sankte Per, hörde de vidsträckta sandmoarna, mossarna, issjön, den stenbundna jorden och de ofta omtalade ljungmarkerna i det fattiga Finnmarken. Man får emellertid inte glömma bort att det som idag är eller ter sig som fattig bygd, under vissa betingelser och tider kan ha inneburit rika möjligheter. Mossarna representerar t.ex. med sin bränntorv väldiga naturrikedomar som också utnyttjades under de senaste kristiderna, moar och ljunghedar liksom mycket av den steniga marken har givit bete för stora boskapshjordar, sjöar och myrar har varit "guldgruvor" för den järnhantering som gav bärgning till tusentals människor under forntid och medeltid.

Här några ord om ljungmarkerna som vi möter dem framförallt i Sunnerbo, ett gammalt "ljunghärad". Vi får aldrig glömma bort att den gamla "ljungryen" var en betesmark, skapad och underhållen av människan alldeles som lövängen. Som Karl Salomonsson framhåller i sin förträffliga skrift "Den småländska ljungryen" hävdades dessa marker genom fortgående bränning. Många ortsnamn berättar ännu om den tiden, då varje by hade sin särskilda ry. Rydala, Ryen, Ryfållen o.s.v. På samma sätt som de gamla vackra ängarna främst stod i nyttans tjänst, så var det också med ljungryarna med dess oförgätliga skönhetsvärden. Såväl skönhet som nytta var betecknande för det gamla kulturlandskapet.

Jag återkommer till Karl Salomonsson i Angelstad som upplevt starka skönhetsintryck just i ljunglandskapet. Ingen har berättat om den fattiga men leende ljungryen så som han. Så berättar han om Kistebacken:

Den gamla kyrkan i Angelstad.

Där låg Kistebacken med sin stora sten, som dolde nergången till en skatt, vaktad av en drake, som småningom degraderades till jätteorm, och nedanför Kistebacken utbredde sig Klockesjön, som inte var stort mer än en rejäl göl men som hade en stadig förankring i folkfantasin för sin sänkta klockas och de misslyckade bärgningsförsökens skull. Över ryen mot Kvänslöv ringlade sig den gamla vägen, som knappt gjorde skäl för namnet väg. En halv mil lång var den mellan gränsställena i de båda byar som den knöt samman. Det var farleden mot Ljungby. Här drog marknadsfolk och fädrifter fram, häröver kom larmande tattarföljen och vilsna vaganter, som med druckna skrän annonserade sin ankomst långt i förväg.

– Vad minns Du starkast av ryen?

– Jo, när den började frigöra sig från vinterns välde och gå mot våren. Snön hade smält undan, bara några grådaskiga fläckar låg kvar bakom stenar och i dälderna mot norr, solen började gassa över de vårvaknande markerna, grodorna smågläfste i kärren, och tall och mull doftade, så som de bara kan det på en sunnerboitisk ry i vårdagjämningstid.

Sedan följer han årstidernas gång över de vida ljungmarkerna. Orrtupparna kommer i hundratal. Han upplevde deras parningslekar i tidiga vårdagar. "Denna vårbrunstens extatiska uppvisningslek i magra ljungbackar, över vilka dunsten från vaknande kärr och jäsande dy låg som en svag krydda i den kyliga morgonen." Och så skred våren fram. Våroxen dansade över markerna och längst ute på mossen höll storspoven till. En kväll efter ett regn rullar spovens vemodiga flöjttoner genom luften:

En sådan kväll, fortsätter han sin berättelse, vilar en återhållen och kärv skönhet över ljunglandskapet; det blir en upplevelse som tonar i minnet genom åren och som man inte vill byta ut mot de mest yppigt flödande skönhetsuppenbarelser som andra landskapstyper kan skänka.

Snart ligger ljungryn och gonar sig i sommarsol och värme. Över sandiga plättar breder backtimjan ut sig. När bina svärmade och skulle tas in i ny kupa, fick barnen hämta fång med timjan för att med den gnida in kupan för att locka bina. Och så kommer till sist, berättar Salomonsson vidare, augusti den verkliga blomstermånaden. Så långt man kan se lyser den violetta ljungen på torra backar, i mossar och kärr. Allt det som var grått och kargt har ljusnat och mildrats.

Författaren minns att när han som barn läste om förklaringsberget alltid tänkte sig det som en rybacke med blommande ljung, och han förstod så väl att Petrus ville bygga tre hyddor där.

Efter blomningen kommer bärtiden och snart hör man vildgåsflockarnas rop. Jag har så pass utförligt berättat om ljungmarkerna för att visa vilken roll de en gång spelat för det småländska hushållet. Jag har dessutom låtit en son av den småländska ljungryen berätta om de skönhetsupplevelser detta landskap kunnat förmedla till ett ungt och känsligt sinne. På sätt och vis är denna varmhjärtade skildring en motsvarighet till Linnés och Sjöbecks ljusa skildringar av det småländska ängslandskapet. Selma

Lagerlöfs ord i Nils Holgerssons resa får ett perspektiv som kan vara nyttigt för en nutidsmänniska: "... inte annat än torra sandhedar, nakna klipphällar och stora, sanka mossar."

Käringoket från Angelstad

En ny illustration till den svenska fattigdomen har dragits fram i ljuset av den kunnige amatörforskaren Johan Johansson i Angelstad. En betydande del av de samlingar som nu finns i bygdemuseet i Angelstad har han skaffat fram. Han var också en mästare i att tolka de gamla föremålen, berätta om dem så att de levde för oss.

Ett av de viktigaste föremålen är käringoket. Johan Johanssons vän och förtrogne Karl Salomonsson, också en son av denna bygd, har i Bygd och Natur 1957 berättat om dess användning. Så skriver han bl.a.:

> Oket var som de flesta andra ok avsett för två dragare. Men den väsentliga skillnaden var, att i detta fall var den ena en människa, torparkäringen, som fick dra sida vid sida med det lilla ställets enda ko. Mannen styrde årdret och sköt på efter bästa förmåga.
>
> Okets vänstra del var apterad för det mänskliga dragdjuret kvinnan som skulle streta och slita jämsides med kon. Den kraftigaste dragaren gick alltid till höger, det var *fjärmern* eller *fråen*, som högeroxen brukade kallas. På käringoket är ett par trähandtag påmonterade istället för horntyglar, och mellan dem sitter en tygvalk, avsedd att lindra trycket mot kvinnans bröst under dragandet. I vartdera handtaget är dessutom fäst ett bastrep, som skulle träs över kvinnans nacke, ett s.k. nackband, och det var till för att kraften från axelpartiet också skulle utnyttjas.
>
> Käringoket kunde Johan Johansson införliva med sina samlingar så sent som 1951. Som fjärdingsman rörde han sig mycket ute i socknen, dessutom hade han arbetat som målare i många gårdar och ofta varit anlitad som auktionsropare, vilket allt gjorde att hans samlarintresse var känt. Folk sparade gärna på gamla föremål för att sälja till honom eller skänka till hans samlingar. Nu varskoddes han av en äldre bonde i socknen om det underliga okets förekomst; han tog bil till den avlägsna gården och fick det dammhöljda oket i sin hand. Det hade enligt den minnesgode ägaren köpts 1887 av dennes fader på auktion efter torparen Gabriel Larsson och dennes hustru

På Tofterydsdagen (se s. 196) brukar man visa hur "käringoket" användes i gamla tider.

Sofia på torpet Lilla Granet under Biskopsvara gård. Efter det året har oket veterligen inte varit i användning, men det synes ha varit flitigt nyttjat dessförinnan. Gabriel Larsson, som dog 1887 vid 76 års ålder, hade med sin 11 år yngre hustru många år varit torpare under Biskopsvara och måst sköta sitt lilla torpställe på de knappt tillmätta fristunder, som dagsverkstungan medgav. Och då gick alltid arbetet med att ärja och harva de små åkerlapparna lite fortare, om kon fick käringen till hjälp under oket. Här bör kanske påpekas, att i uttrycket käring ligger inget förklenligt: det var enligt ortens språkbruk en synonym till hustru. Något nöje var det säkert inte för Gabriel att lägga ok på sin kvinna utan en bister nödvändighet. Nöden har som bekant ingen lag, och Sofia å sin sida torde med jämnmod ha funnit sig i sitt öde utan att känna sig förnedrad; man såg mera realistiskt än känslosamt på tillvaron dåförtiden.

Kvacksalvare och kloka gubbar

Den gamle antropologen C. M. Fürst i Lund berättade gärna att han var en stor människokännare, men endast när det gällde döda människor, skelett. Han var vid seklets början och långt in på 20-talet utan konkurrens när det gällde att läsa fakta ur forntida skelett. Jag glömmer aldrig, när han stod och jonglerade med kranier och andra skelettdelar som jag hade hittat på en stenåldersboplats. Genom mätningar och diverse andra iakttagelser kunde han fastställa ras och ålder, kön, längd och mycket annat.

Vad som just nu intresserade mig utom rasen (Fürst hävdade att samma ras hade bott i Norden i minst 5 000 år) var diverse defekter vi funnit på skeletten. Fürst hade förklaringar till nästan allt. Trepanering – ett borrat eller skrapat hål i kraniet – var känd sedan gammalt. En stenålderskirurg hade utfört en operation som ännu idag betraktas som svår. Att operationen i de flesta fall verkligen hade lyckats, visade de igenväxta "sårkanterna". Vad var det för sjukdom man botade eller ville bota? Den lärde professorn kunde inte säga det men utan att ta någon egen ställning hänvisade han till Heidenstam som i en av sina "forntidsnoveller" berättar om mannen som då och då lyfte på ett lock i hjässan för att släppa ut den onde anden. Kanske kunde man våga sig längre ut på gissningarnas gungfly? Kanske kirurger för 4 000 år sedan ville lätta på trycket på en tumör.

Det fanns i forntiden även andra sjukdomar. Ledgångsreumatism var vanlig och vissa gomsjukdomar som troligen kom av en ensidig köttdiet. En del deformiteter tydde på någon art av "engelska sjukan" och även skalldeformiteter av olika slag kan iakttas. Allt detta är sådant som avspeglas i skeletten – något annat finns icke kvar av människan – och märkena efter skadorna har överlevt årtusenden.

Men varför denna långa inledning? Jo, därför att Fürst sökte pränta in i mig att läkekonsten var lika gammal som sjukdomarna. Men vi kunde enas om att också kvacksalvare och kloka gubbar hade traditioner från hedenhös. Likaväl som det fanns skickliga "kirurger" under stenåldern har det funnits mer eller mindre skickliga "gubbar" och "gummor" som plåstrat med salvor och magiska besvärjningar. Redan under vikingatiden fanns en viss läkekonst. Medicinalväxterna började komma i bruk, sårbehandlingen hade avancerat ganska långt och de magiska botemedlen var legio. Många gravfynd visar att man måste ha haft metoder för att spjälka brutna ben och troligen också för att läka huggsår.

Flogrönn (4–5 år gammal) hos Karl Salomonsson i Angelstad. Ansågs ha magisk kraft i gamla tider.

Den stora förändringen kom under medeltiden med klostren och deras sjukhus, med kunniga munkar som på allvar tog upp den rationella tillverkningen av mediciner. Klostrens trädgårdar hade särskilda avdelningar för välgörande och läkande växter, av vilka många är kända ända sedan romersk tid. Parallellt med munkarnas mer rationella sjukvård fortlevde i bygderna allmogens primitiva och ofta magiska metoder att hela. Det är dessa helbrägdagörelser som levt kvar ända in i vår tid, trots att vi har världens mest rationellt utrustade sjukvård. Så stark och traditionsbunden är vidskepelsen, så stor är trons makt.

Arvet från medeltiden fortsatte in i den nya tiden. Under stormaktstiden gjorde den medicinska forskningen väldiga framsteg genom Olof Rudbeck, Urban Hjärne m.fl. Under 1700-talet hade vi vid sidan av fältskärer och kvacksalvare ett stort antal utbildade läkare.

När Linné reste i Småland fanns de kloka gubbarna i stort antal, och den lärde resenären och läkaren stötte överallt på den folkliga medicinen. Linné var genomgående skeptisk och kritisk. När de nödlidande drack eller tvättade sig (och troligen offrade) i en helig källa, var hans omdöme: "Här kunde man tydeligen se vad möda teologerna haft att rensa fäderneslandet ifrån katolikernas vidskepelse, som nu lyckligen skett mest över hela riket".

Ganska typiskt för hans inställning till växtmedicinerna är hans beskrivning av hur man utnyttjade geranium för att bota frossa. Det gick till så att den gröna örten sönderskars, bands i en linneklut och hängdes vid maggropen. Med den rökte man sig när bröstvärken satte till. Och så kom Linnés skeptiska slutomdöme: "Åtskilliga berättade sig härigenom blivit hulpne, det jag lämnar i deras tro".

Oftast stannade Linné för att se på sjuka eller också fördes till honom sådana som behövde hjälp. På ett ställe, i Virestad, plågades folk mest av "torrvärk", dödliga sjukdomar var "håll" och "styng" samt "blodsot".

De sjukdomar Linné i allmänhet stötte på var dysenteri, rödsot, vattusot, såriga ben och brännsjuka (häftig, ihållande feber). Han ansåg att det skulle vara till stor nytta om prästerna på landsbygden förstod att kurera de vanligaste sjukdomarna som årligen ryckte bort många tusen och som i allmänhet kunde botas utan svårighet. "Hela denna Vetenskapen vore lätt lärd av de studerande, då de ännu äro vid akademien, högst på åtta dagars tid" (!) Prästerna, säger han, skulle kunna bota dessa sjukdomar genom medicin som växer gratis utanför vars och ens dörr.

Linné besökte 1745 den kloka kvinnan i Mjärhult:

> Vad hennes kunskap att känna sjukdomar och vad deras orsaker vidkommer, så gick de vida över både min och alla Medicorum förfarenhet, ty när någon var sjuk, behövdes inte patienten att ses av henne, ej heller behövde hon fråga efter dess konstitution, temperament, puls, symptom eller förda diet, utan var henne nog, att hon fick se en strumpa, ett strumpeband, ett linnetyg eller något kläde, som den sjuka människan burit, varav hon kunde sluta om passionens orsak och dess kur.

I en ännu äldre medicinsk skrift från 1675 finns botemedel mot sängvätning hos barn: "Man tar och stöter ett harhjärta till pulver, ger barnet afton och morgon en knivsudd i varmt öl. Därtill stötes en svinblåsa till pulver som barnet får ta in – det hielper underlig".

Björn Gidstam som på ett roligt sätt behandlat läkekonst och magi i sin bok "Det gamla landet" har funnit denna uppgift muntligt belagd i Värend av sin morfar, som i slutet av 1800-talet bevittnade denna behandling hos en klok gumma i Älghult:

> Ett barn som släpper sitt vatten under sömnen skall retas att avbita huvudet på en uti en klut, barnet oveterligen, insvept rotta.

Gidstam är en god källa när det gäller magiska kurer: åt den som ville bota sin svikande mannakraft "bör man om våren i fåglars jätetid fånga en sparffågel. Slit den straxt itu och insvalg hans hjärta, medan det lefver, så varder det bättre med dig". Så kan man läsa i en gammal svartkonstbok från Åseda. Tandvärk botades oftast med en spetsig pinne. Den kloke mannen petade med pinnen i tanden så att den blev blodig. Sedan tog han med sig pinnen till ett träd, som helst skulle växa i ett vägskäl och vara stort. Pinnen stoppade han in på norrsidan och pluggade igen hålet. Innan han lämnade trädet läste han en ramsa så att värken skulle sitta kvar i trädet. Även bölder kunde tvingas in i ett sådant träd, som var farligt att fälla. Då kunde sjukdomen gå över på den som förde yxan.

Även mot kikhosta hade man bot i äldre tider. Medicinen var helt enkelt stomjölk som man skulle dricka ur en kyrknyckel eller en dödskalle. Denna medicin var känd över hela Europa men smålänningarna hade sin egen specialitet: de drack tuppblod i stället.

Boskapssjukan var också vanlig och den dämpade man med flott av fläsk, ättika och malört som man gav åt korna. Den medicin som användes för boskapen nyttjades ofta även för att hjälpa sjuka människor.

Under resor i Småland på 20-talet kunde jag konstatera att ännu mycket levde kvar av vidskepelse och kvacksalveri. I gränsskogarna mellan Kalmar och Kronobergs län bodde en gammal man som kunde "stämma blod" (stanna blodflöde). Många trodde på honom och åtskilliga vittnade hur han hulpit, även om han varit på flera kilometers avstånd. En annan gubbe från en by nära Blekingegränsen botade "engelska sjukan" genom en rent magisk blodrit: tre droppar blod på en sockerbit till den sjuke och några ord som hade bönens eller besvärjelsens form – och han var botad. J. A. Göth i Braås, den gamle knekten som blev en utmärkt folklivsskildrare, berättade många historier om gubbar som kunde allt från att spjälka ben till att bota bröstvärk och magsår. Hans mest rörande historia handlade om en gammal man i ett avlägset torp, som varje morgon när solen gick upp stegade fram till gärdesgården, la sig på knä och sträckte armarna mot solen. Det var en gammal soldyrkare, trodde Göth, med i själen inbyggd tro från forntiden!

Förändringens vind

Under 1800-talet blåste förändringens vindar över Småland. Då inträdde den stora befolkningsexplosionen, som kan skönjas redan under 1700-talet. Kronobergs län gick i täten med en folkökning från 1840-talet till 1880 med inte mindre än 89 procent. Hela landskapet hade då en folkmängd på 611 000. 1750 bodde endast 260 000 människor i Småland och då hade man ändå räknat med Öland.

En del socknar, t.ex. Traryd, tredubblade sin befolkning 1750–1880, från 610 till 2 002. Virestad ökade sitt invånarantal samma tid till 5 426. Idag bor i samma socken endast omkring 2 000 människor!

Det knakade i fogarna inför dessa väldiga omvälvningar, vars orsaker väl ännu inte är helt kartlagda. Tegnér har sin förklaring: "freden, vaccinen och potäterna". Orsakerna var nog flera: jordbruket – spannmålen segrar över "allt smör i Småland –", dvs. över ängsbruket. Åkerbruket hade börjat rationaliseras; 1700-talet var ju en upplysningens och reformernas tid (plogen gjorde entré!). Laga skiftet och dess genomgripande reformering av jordens brukande och bondesamhällets organisation gjorde sitt. Nyodlingar, även av kärr- och mossmarker, följde på skifte och de nya redskapen. Ett nytt samhälle växte sakta fram med självägande bönder, med större frihet. Allt förebådade den nya tiden, industrialismen, klassamhället, demokratin.

Några utfattige Torpare i Westbo Härad af detta Län hafwa anmält sig hos Kronofogden i orten för att afresa till Amerika, hwarest de trodde sig få till skänks jord och hemman att bruka. Äfwen hafwa andra enfaldiga landtmän här i Länet anmält sig finnade att i samma afsigt afresa åt de trakter af Ryssland, der man sade dem att folket skulle wara utdödt.

En notis från Calmar Bladet 1832 visar att det tidigt fanns emigrationsplaner hos menige man, även om den stora utvandringen tog fart först på 1840- och 50-talen.

Men växtvärken var svår. Torpen och de små tegarna skapade "fattigdomens Småland", trängseln blev svår – den stora utvandringen började vid seklets mitt och fortsatte in på detta sekel. Det blev en balansrubbning som förändrade stora delar av Småland – sedvänjor, gammaldags tro och moralisk styrka. Därtill kom den stora väckelsen hand i hand med nykterhetsrörelsen, en folksjälens egen självdränering, en gigantisk resning som gick ut på ingenting mindre än att bygga ett nytt Småland på gammal god grund.

Födslovåndorna var stora. Supseden hade gripit omkring sig med förfärande följder, brännvinet blev vardagsdryck – för barn i vaggan, för

Bilden av en svensk kustångare får i denna annons illustrera världens största fartyg vid denna tid.

arbetande bönder, t.o.m. för präster och ämbetsmän.

En sedeskildring från 1800-talets början finner vi under rubriken "en tafla ur verkligheten" i tidskriften "Hvad Nytt".

Vid middagsbordet på ett bröllop 1831 satt en bondhustru med sin årsgamle son på knäet. Sedan hon sjelf efter gammal sedvänja, smuttat på aptitsupen, förde hon glaset till gossens läppar, med uppmaning att han skulle taga sig en tår. Men gossen vände med grimas och vedervilja bort hufvudet, och då han ytterligare trugades, började han gråta. "Tving då icke barnet att taga bränvin", yttrades af någon. "Åh!" – svarade den oförståndiga modern: "Det är ändock en liten hjertefröjd". – "Men", sade den andra, "deraf kan i framtiden blifva en stor hjertesorg".

Försöket förnyades icke mer för den gången. Nära ett år derefter befanns åter gossen vid ett dylikt tillfälle hos sin moder vid middagsbordet. När glaset nu kom till henne, sträckte gossen otålsamt och begärligt hand och mun efter hjertefröjden och tog sig en klunk. Öfningen hade fortsatts och lyckats bra! Vid 12 års ålder kunde han redan taga sina duktiga supar i botten och är nu vid 20 års ålder en bland de tappraste lekstuguriddare och ifrigaste krogbesökare, bärande redan i sin uppsyn och sina åtbörder hela prägeln af dumhet, råhet och slöhet, som utmärker stora supare; kommer merändels öfverlastad från staden, samqvämen, marknaden och andra sammankomster, sitter antingen sofvande på åkdonet och föres så hem af de förståndigare hästarne eller kör i öfverdåd, grälar och slåss, är stursk mot sina föräldrar, utfar i ovett och hotelser mot modren, när hon numera icke vill bestå honom så mycken hjertefröjd som han önskar. Hur många föräldrar hafva icke fått samma hjertesorg till vedergällning för den hjertefröjd, de så tidigt skänkt åt sina barn!

Lotta Larsdotter i galgen

Superiets utbredning har många vittnat om. Samuel Ödmann, som levde under 1700-talet och vars bekantskap vi får göra på s. 95 berättar om sin morfars prästgård, att ingen gäst där gärna tilläts lämna huset utan att vara redigt beskänkt!

Peter Wieselgren, den store nykterhetsaposteln, är en annan av de kämpar som tog nappatag med brännvinsdjävulen.

Och en bland många präster i det fördolda var psalmdiktaren Samuel Hedborn, som i sin vrå av Småland fick uppleva både superiets vådor och ett allmänt sedefördärv.

Det var något av den tidens "raggarproblem" och nerbusning.

De råa sederna hängde i från 1600- och 1700-talens blodiga krig och gränsfejder, kanske var de också ett arv från en "hedendom" som inte kyrkan och folkupplysningen (folkskolan blev ju obligatorisk 1842) fick bukt med.

Förra seklets skådespel vid de offentliga avrättningarna talar sitt språk. Man kan läsa om dem i den tidens ortspress, ett slags kriminalreportage som motsvarar högt ställda anspråk på skräck och ångest. Så läser vi t.ex. i Jönköpings Tidning för den 13 juli 1861 om pigan Lotta Larsdotters halshuggning:

> En högst betydlig folkmassa från Jönköping och kringliggande trakter hade i Onsdags utströmmat till den s.k. Galgbacken utanför staden för att vara vittne till det hemska djupt gripande skådespel, som der klockan 7 på morgonen upprullades för åskådarnas ögon. Till verkställighet skulle nemligen då befordras Kongl Maj:ts utslag af den 30 sistl. April, hvarigenom Pigan Lotta Larsdotter från Stengårdshults socken i Mo härad, blifvit dömd att för förgiftning mista lifvet genom halshuggning.
>
> En hemsk tystnad rådde på platsen när delinqventen, endast några och tjugo år gammal, på utsatt klockslag anlände; och det var märkvärdigt att åse huru den med stum bäfvan slagna massan följde den olyckligas minsta rörelse först då hon, med darrande knän, nedsteg från vagnen, sedan åtföljd af Fängelsedirektören och Fångpredikanten, med djup resignation och blicken rigtad mot höjden nalkades stupstocken och sist, när sedan ögonen blifvit förbundna, det blixtrande stålet med ens gjorde slut på hennes lekamliga lif.
>
> Hvad som dock, efter den tragiska handlingens slut, gjorde ett pinsamt och vidrigt intryck på åskådaren, var det hemska efterspel, hvari vidskepelsen, trots polismyndigheters närvaro, firade sin seger, i det neml. en ur hopen framträdande person fick tillfälle att svalka sin tunga med en god dosis af giftblanderskans ännu rykande blod.

Bondens lada stod tom

Krig, farsot och hunger har följt människosläktet med sina gissel sen urminnestid. Samma känsla av namnlöst elände når oss i några dagboksanteckningar från 1868:

> Juli 11. Torkan fortfar med gruflig kraft, folkets samtalsämne rör sig omkring den förtorkade grödan.
> Juli 18. Torkan fortfar med sträng värme, rågen vitnar och jorden förbränns med allt som därpå växer, arbetet är ett lidande, luften är ständigt fylld med rök av härjande skogseldar.

Den som skriver om det fasansfulla nödåret är bonden Sven Samuelsson från Åkerby i Ljuders socken. Det är inte fråga om krig och pest utan om torka, missväxt, vådeld och svåra magsjukdomar. Guds vrede vilar över de fattiga småländska bygderna liksom över stora delar av landet.

Många av oss nu levande har ännu indirekta minnen av de svåra nödåren 1868–69, som drabbade en stor del av landet. Min farmor, som var född på 1840-talet, lät mig som pojke känna på valkarna i sina händer: det var synliga minnen från de svåra åren, då det var ont om föda. Arbetet vid vävstolen höll svälten borta. Den äldste sonen som var född just 1868 fick ta plats som gåsapåg vid fem års ålder.

Under dessa ofärdens år var det inte ovanligt att man såg skaror av uselt klädda barn som svaga av hunger drev omkring och tiggde. Lars Levander berättar om dessa offer för köld och missväxt i sin gripande skildring från Älvdalen. De svårast utsatta områdena var Småland, Öland, Dalarna och Norrland. Det som gjorde att bondens lada stod tom var den kalla försommaren 1867 och den sällsynt torra och heta sommaren 1868. På många ställen blev vårsädesgrödan och höskörden förstörd. Det var endast potatisen som klarade sig och gav avkastning – den räddade många liv. Nödslakt blev allt vanligare och utfodringen för de kvarvarande kreaturen i uslaste laget. Svårast drabbade var Västbo och Östbo härad. I Östbo föll intet regn från april till augusti ...

Det fattiga, överbefolkade Småland kunde inte livnära sina barn. Följderna lät inte vänta på sig: döden tog rika skördar bland sjuka och svaga.

Forntida gravfält i björkdunge i Berga söder om Ljungby. Berga har ca 850 fornlämningar från tiden 500–1050 e.Kr. Foto Tomas Nihlén.

De unga, viljekraftiga sökte sig bort i allt större skaror till rikare nejder av vår jord, främst Nordamerika. Under det svåra året 1869 utvandrade inte mindre än 10 000 människor från Småland. Många tog också tjänst i Tyskland och Danmark.

Myndigheterna satte igång med omfattande hjälpverksamhet, lån beviljades de mest drabbade kommunerna, hjälp nådde också Småland från kringliggande landskap. Redan på 1870-talet kom ljusningen, skördarna blev bättre, industrialiseringen kom igång och sysselsättningen förbättrades. Emigrationen minskade också trots att folkmängden ökade. Småland gick sakta mot ljusare tider.

Ännu lever minnet av de svåra åren. Och man glömmer inte dem som hjälpte. Kristina Nilsson höll 1868 en konsert för de nödställda och samlade därigenom in den aktningsvärda summan av över 9 000 franc. I Jönköping bildade stadens damer 1868 en "tillsyningsförening". Resultatet blev bl.a. en soppkokanstalt, där hungriga barn kunde få en varm och god middag. Allehanda växter, gräsrötter och bark fick tjäna som föda. Mest tog man bark av lind, som hackades, maldes och med någon tillsats av mjöl bakades till bröd. Mjöl malde man också av kvickrot. Det ansågs ha en angenäm smak och var lätt att tillreda. Rötterna sköljdes, sönderhackades och torkades och kunde sedan malas. I Långemåla – liksom i många socknar – ägde man inte brödföda längre än till jul. Bondens lada stod tom ...

Bonden som talade sju språk

Den som idag stannar till vid Sjöared (när riksgränsen gick här hette platsen Sjöaryd på svenska sidan och Sjöared på den danska) finner inte mycket bevarat av den gamla historiska miljön. Den s.k. kungsstenen ligger kvar, en grå anonym tingest som ruvar på sina hemligheter. 1925 restes här en väldig minnessten med kunglig krona och tydliga årtal. I närmaste gård bor Josua Pettersson, som är en verklig traditionsbärare. När han sitter i sin vackra gård, omgiven av historiska skrifter och gulnade tidningsexemplar och berättar blir 1600-talet levande igen.

Josua Petterssons vackra stuga i Sjöaryd nära den gamla riksgränsen. Foto Tomas Nihlén.

77

Josuas släkttavla hänger inramad på väggen. Man kan läsa att stamfadern hette Truve Haraldsson och var född 1693. Han hade kommit från danska sidan (Sjöared) och försökte i det längsta att slippa bli utkallad i Karl XII:s sista fejder. Till sist kom han i alla fall ut och återvände hem just när kriget mot Norge gick mot sitt slut.

Det måste ha varit en högst begåvad släkt. Josua, som jag intervjuat ett par gånger, har en nästan isländsk berättartalang och därtill ett otroligt minne. Han når med sitt vittnesbörd långt in i bygdens historia. "Mor brukade berätta" eller "morfar skrev i sina brev" eller "de gamla här på orten berättade" är uttryck som ofta återkommer. En del har han väl också läst och något har han också skrivit ner.

Josua Pettersson, som är en utmärkt bygdeforskare och berättare, pekar ut stenen som bildar gräns mellan Småland och Halland. Foto Tomas Nihlén.

När han ställer sig vid gränsbäcken – det lilla som ännu finns kvar – vill han för utfrågaren och hans fotograf återge en gammal berättelse i orten om hur kungarna av Sverige och Danmark möttes innan fredsförhandlingarna började. Här gick gränsen fram på 1500-talet. Den gränssten som står där idag bär årtalet 1779. Gråstensbron kan man nätt och jämnt skymta under fyllningsmassorna, och bäcken är nästan sinad. Här skulle man verkligen önska att några skickliga antikvarier och landskapsvårdare med lätt hand ville återställa så mycket som göras kan. Självaste riksantikvarien borde engagera sig för detta!

Josuas mor kunde också berätta, och hon hade ärvt sin begåvning av fadern Peter Nilsson som var född här på gården 1835. Det måste ha varit en märklig man. Trots att han inte gått i skolan mer än sex veckor, kunde han hjälpligt tala sju språk!

Hur var detta möjligt? Saken är ganska enkel, säger Josua med sin grekiska profil vänd utåt vägen. Han tillhörde de smålänningar som under 1800-talet vandrade runt som gårdfarihandlare i hela Norden och dess gränsländer. Han sålde mest vävskedar, och kontanterna hade han med sig hem när lagret tagit slut. Det var ett sätt att bekämpa fattigdomen innan vägarna hade öppnats västerut på allvar. På en vandring österut genom Norrland hade han hunnit till Finland, där han gjorde ett uppehåll i gårdfarihandeln. Därifrån skrev han hem att han måste stanna en tid: Han hade använt veckorna väl, ty han lärde sig flytande finska! Och så gick vägen vidare över Ryssland till Baltikum.

På äldre dar slog sig Peter ner på gården i Sjöared, blev en mycket anlitad kommunalman, grundade ortens sparbank och blev en av dessa förtroendemän som man litade på och vände sig till.

För mig är Josua Pettersson i sin vackra gård mer värd än alla bygdens minnesmärken av sten. När han berättar lyssnar man gärna och folkets lidanden griper tag i en som om allt hade utspelats helt nyss. Människorna levde under dessa tider i ständig fruktan.

De gamle berättade, säger Josua, att när bönderna i byn skulle verkställa vårbruket vågade de det inte utan att ha en man på ett av byns ladugårdstak för att spana efter fientliga trupper på halländskt område. Härifrån hade han också utsikt över terrängen och den angränsande byn Trälshult. När fienden blev synlig, drevs boskapen in i skogen och byborna flydde till Lösen. Här låg stora otillgängliga skogar och här kände de sig någorlunda trygga; men när de återvände kunde det hända att de fann sina hem förvandlade till askhögar.

Möte vid gränsen

Längst ner i sydvästra hörnet av landskapet Småland ligger Markaryds köping, sjudande av energi. Några kilometer bort mot Hallandsgränsen är bilden en annan. En krokig och backig väg för genom täta skogar till Ulvsbäcks prästgård och längre bort till Sjöareds by. Lagan stryker hela tiden med sitt mörka vatten längs den urgamla "stigen" som en gång förband Stockholm och Mälardalen med Danmark och kontinenten.

Om dessa bygder finns mycket skrivet, från rimkrönikor under medeltiden till brev och protokoll under 1600- och 1700-talen. Men vad bättre är, här finns en levande tradition som bevarat stora händelser under mer än 300 år. I de stora gränsskogarna drabbade härar samman och byar skövlades. I fantasin ryker det ännu från nerbrända gårdar, man hör dånet av hästhovar på skogsstigarna. Vid gränsstenen nära Sjöared ser man kungar och riksråd konversera över gränsbäcken.

Det finns ingen plats i Småland där vår blodiga historia träder oss till mötes så starkt och påtagligt som här. I centrum på den svenska sidan låg Ulvsbäck (prästgården i Markaryds socken). Det var framför allt det strategiska läget – inkörsporten till Sverige, de goda förbindelserna med Danmark och en relativt rik bygd – som gav Ulvsbäck dess betydelsefulla roll.

I en reseskildring av tysken Samuel Kiechen från år 1586 berättar han hur han sent en kväll kom till Ulvsbäck, där den första kyrkan i Sverige låg:

> Vi togo in hos kyrkoherden, ty den, som reser i Sverige och vill äta och dricka efter landets lägenhet, tage in hos fogden eller prästen; oaktat de ej ha gästgiveri så utestänger de dock ogärna en ärlig gäst. Kyrkoherden härstädes bevisade oss all vänlighet, gav oss mat, dryck och bädd enligt sin förmåga, samt ett eget rum så att vi kunde torka våra saker.

Denna prästgård låg vid en urgammal handelsväg som ett slags gästgiveri för resande både från norr och söder. Här hände mycket under de följande seklerna och Ulvsbäcks prästgård skulle t.o.m. bli säte för europeisk storpolitik. Låt oss gå rakt in på de dramatiska möten som här ägde rum under 1600-talets början och som ännu är bevarade i arkiv, genom minnesstenar och den muntliga traditionen.

Om freden i Knäred får alla barn läsa i skolan, t.o.m. årtalet 1613 pluggas in och tycks sitta rätt fast. Bakgrunden var det s.k. Kalmarkriget, där det gick ganska skralt för Sverige. Kungen, Karl IX, var gammal och trött, och hans son Gustav Adolf, endast 16 år fyllda, fick leda kampen. Det var under det kriget svenskarna härjade så vilt i gränstrakterna. Hovdala, Vittsjö och Markaryd blev utsatta för våldsamma härjningar och den fina medeltidsstaden Vä brändes; det var efter den betan danskarna flyttade staden ett stycke norr ut, där den fick namnet Kristianstad. Svenskarna skövlade med eld och svärd inte mindre än 24 socknar.

Det går ännu berättelser om enstaka dåd och äventyr (någonting i stil med Gustav Vasas äventyr i Dalarna). När Gustav Adolf var på flykt över Pickelsjön, brast isen under hans häst och det var nära att han drunknade. Det var ryttaren Tomas Larsson som med fara för eget liv i det täta kulregnet hjälpte kungen, som då nyligen bestigit tronen. I Vittsjö, kan man vid norra järnvägsövergången beskåda minnesstenen. Att kungen var tacksam för sin räddning visas av att han på årsdagen av händelsen ålade sig fasta. Därmed fortsatte han hela sitt liv, vilket kunde behövas, ty han blev ju som bekant med tiden tämligen fet!

Danskarna hämnades genom att utsätta Sunnerbo på svenska sidan för hänsynslösa härjningar. De brände och rövade hemman i Markaryd, Köphult, Oshult och Sjöared. I Ulvsbäck blev "prästens ladugård och mycken spannemål och annat slätt oppbränt av fienden." Sverige var svagt vid denna tid och kungen anhöll om vapenstillestånd. Detta beviljade danskarna inte utan vidare. Förhandlingar om fred började innan kriget ännu var slut. Gränsen mellan det svenska Markaryd och det danska Knäred, liksom en rad gårdar runt omkring, blev nu skådeplatsen för verkligt storpolitiska förhandlingar. Förhandlarna från Sverige samlades på Ulvsbäcks prästgård. Det var en lysande skara stormän och diplomater under Axel Oxenstiernas ledning. Förhandlarna på danska sidan stod också högt i rang: Christian Friis, Mandrup Parsberg, Axel Brahe och Eske Brok. Dessutom fanns två medlare med från den engelske kungen. Danskarna hade sitt kvarter i Knäreds prästgård. På båda sidor om gränsen vid Sjöared hade man rest ståtliga tält, dit förhandlarna kunde dra sig tillbaka. De båda kungarna höll sig väl i bakgrunden, men det berättas att de en gång i början hade räckt varandra handen till hälsning över den lilla bäcken.

För övrigt var etiketten utstuderat rigorös vid dessa förhandlingar under brinnande krig. Så berättas att svenskarna ville meddela sin ankomst till Ulvsbäck genom en trumpetare som medförde ett brev till danskarna. Detta första steg kände danskarna till, ty knappt hade trumpetaren avgått förrän en dansk adelsman, Jörgen Wensterman, anlände med en dansk trumpetare. Danskarna ville tydligen ha initiativet och frågade nu om svenskarna ville ställa upp vid gränsen följande dag klockan 11. Svenskarna svarade då att de skulle komma, men inte förrän klockan halv 12. Vid den tiden kom de till gränsbron, men danskarna anlände först klockan 12. Det kan man kalla diplomatiska piruetter! Detta skedde alltså den 29 november 1612, men först den 18 januari 1613 blev man överens efter långa och sega överläggningar.

Är det någon som idag är intresserad av fredsvillkoren? Så här såg de i alla fall ut: Sverige avträdde till kung Kristian och Norges krona sin höghet och rätt över sjölapparna. Dessutom återställde man till Danmark de under kriget erövrade landskapen Jämtland och Härjedalen (som emellertid snart åter blev svenska). Sverige fick åter Kalmar och Öland, men lika lätt var det inte att få tillbaka Älvsborg, Gamla och Nya Lödöse, Göteborg samt sju härader i Västergötland. Sverige måste erlägga ett enligt den tidens förhållanden orimligt högt krigsskadestånd: 1 miljon riksdaler att betalas till Danmark inom sex år.

Det svenska folket var fattigt – inte minst smålänningar och västgötar hade utarmats genom krig och härjningar – i dagens mynt skulle omkring fem miljoner kronor betalas, Sverige hade endast en miljon innevånare:

82

inte många av dem hade gott om kontanter. En riksdaler var mycket pengar. För den kunde man få två hektoliter råg eller 25 kg smör. Det måste ha varit hårda nypor som drev in de skatterna. Kungen gick också före med gott exempel och lät t.o.m. smälta ner sitt bordssilver. Även de yngsta och de fattigaste fick årligen erlägga sin tribut; en dräng som fyllt 15 år fick bidra med en riksdaler om året och en piga med en halv. Efter sex år var hela skulden betald. En stor prestation på den tiden.

Litet åts där, mycket dracks där av ont vin

Vi har tidigare talat om mötena i Ulvsbäck. 1629 var det dags för ett nytt kungamöte i Ulvsbäcks prästgård, som vid det här laget började bli känd över hela Norden. Det var danske kungen som tog initiativet men det låg också i Gustav II Adolfs intresse att få med Danmark i den stora kampen på kontinenten mellan katoliker och protestanter. Naturligtvis hade det hållits många liknande möten och det hade väl skrivits utförligt om överläggningar i orostider, men frågan är om vi någon gång från en så pass avlägsen tid haft tillgång till vittnesmål av det slag, som här finns. Vad som kan hämtas från olika källor är dokument som ger oss ögonblicksbilder av både människor och tidsförhållanden. Till detta bidrar i hög grad att Axel Oxenstiernas broder Gabriel var med och skildrade mötet på ett sätt som anstår en stor krönikör och författare. Flera veckor i förväg började förberedelserna för att ta emot det kungliga följet. Kungsstugan skulle rustas upp, matförråd och drycker anskaffas, bak och slakt tog också sin rundliga tid.

Det var den 22 februari 1629 som kungarna möttes på Ulvsbäcks prästgård i den s.k. kungsstugan. Per Banér och Erik Jönsson sändes med 50 hästar för att invitera danske kungen till den svenske kungen på Ulvsbäck. De blev "mäkta väl undfägnade och med rus av spanskt vin remitterade", skriver Oxenstierna.

Morgonen därpå red Gustav Adolf åstad med ett mäktigt följe: två ryttarkompanier och musketörer, tillsammans 400 man, jämte "ett tämligt antal ridderskap". Det måste ha varit ett ståtligt möte, helt olikt det som

I Ulvsbäcks prästgård
bevaras ännu gamla
porträttmålningar av
Gustav II Adolf och
Kristian IV. Foto Tomas
Nihlén.

Kungstenen, som efter Gustav III:s besök restes på Ulvsbäck. Rhodin ut-
verkade tillstånd hos kungen att få stenen flyttad och rest här. Enligt uppgift
skulle stenen ursprungligen ha legat i Sjöared, Knäreds socken. Inskriptionen på
stenens andra sida lyder: "På denna sten suto GUSTAF ADOLPH och
CHRISTIAN IV 1629 stadgande förtroligt samråd, inbördes wänskap och
Nordens sällhet. GUSTAF III hugnade orten 1785 med sin närvaro och tillät
att stenen till minnesvård måtte uppsättas."

84

präglade träffen 1612. Den danske kungen kom strax före solnedgången – han hade haft nattkvarter i Yxenhult – och hade med sig någonting för denna tid så sällsynt som flera "kuskvagnar". Gustav Adolf steg av sin häst, hälsade på den kungliga gästen och satte sig i hans vagn.

Det låg spänning i luften. Diskussionerna började så snart man anlänt till Ulvsbäck. Danske kungen kunde berätta nyheter från kriget och det var ingenting som lugnade Gustav Adolf: kejsaren byggde en stor flotta i Östersjön.

Första dagen blev det tydligen inte mycket förhandlat, man höll taffel och drack vin. Påföljande dag satte man igång på allvar. Christian var tydligen modfälld och sur, inte minst sedan svenske kungen kritiserat hans fälttåg i Tyskland. Gustav Adolf gick på med oförskräckt mod för att slå ner danskarnas misströstan. Hans vältalighet var stor och hans temperament flödade över. "Litet åts där, mycket dracks där av ont vin, som till äventyrs ock frusit varit hade", berättar kungen i ett brev.

Gabriel Oxenstierna skildrar livfullt hur det gick till i kungsstugan. Sällan har väl de båda nordiska furstarna kommit oss så nära inpå livet: "När nu måltiden var överstånden och deras Majestäter en stund på golvet stått hade och starkt druckit, begyntes diskussionen ..." Då det tydligen var omöjligt att få Christian på rätt köl, vände sig Gustav Adolf till de danska riksråden: "Vi måste först taga Gud till hjälp och inte förlita oss på främmande utan danska och svenska män måste det göra. Tager ett manligt mod till Eder och låten oss göra vårt bästa". Slå ner tyrannen som vill "uppsluka herraväldet över världen". Nu blev Christian fly förbannad om vi skall uttrycka saken på ren svenska. Oxenstierna berättar, att han blev röd av vrede och utbrast: "Vad haver Eders kärlighet till att göra i Tyskland eller vad med haver kejsaren något mot Eders kärlighet brutits?"

Nu hade spänningen stigit till bristningsgränsen. Gustav Adolf gick ett par steg närmare Christian och utbrast: "Ist das fragenswerdt?" Gustav Adolf håller nu till de förstummade danskarna ett tal som för oss sena tiders barn för tanken till Hitler – utan all jämförelse i övrigt. Den svenske kungen räknar nu upp kejsarens många försyndelser och exploderar i ett utbrott värdigt en Vasaättling.

Och det skall Eders kärlighet var försäkrad uppå, att vare vem det vill, som oss detta gör, de må vara kejsare eller kung, furste eller republik eller vem tusan knävlar det vill, vi skole så taga varandra vid öron, att sylstrån (hårtestar) skola ryka därvid. Därvid slutade Gustav Adolf – och kungen i Danmark svarade ej heller däruppå ett ord.

Samtalen i prästgården förtydligar den bild vi har både av kungen och hans kansler. Redan hos gamle Odhner kunde man läsa om Oxenstierna, att han med sitt lugna, eftertänksamma sätt satte Gustav Adolfs tålamod på hårt prov. Det var till kanslern som Gustav Adolf en gång yttrade:

"Om inte min hetta satte eld i Eder köld så skulle alltsammans stelna och stanna av."

Det var då Oxenstierna gav det fyndiga svaret:

"Om inte min köld svalkade Eders Majestäts hetta så skulle Eders Majestät redan ha brunnit upp!"

Det blev inte något resultat av detta pompösa möte, som slutade i ett gräl. Ändå talar minnesstenen utanför prästgården om "förtrolighet och vänskap". Det finns åtskilligt skrivet om denna sten. Enligt en uppgift skulle de båda kungarna ha suttit på stenen under överläggningarna. En annan tradition förmäler att den kommit från Sjöared, där den skulle ha legat på den plats där nu den stora minnesstenen från 1925 reser sig. Mycket talar för att det verkligen var församlingens kyrkoherde Rhodin som reste stenen. Knäred ville ha tillbaka den, men Rhodin gömde den i en visthusbod. Rhodin, som det ännu talas en del om i bygden, var vän med Gustav III. Kungen besökte ofta prästgården. En gång gick det hett till. Prästen hade ordnat dans och bjudit in mycket folk. Vinet flödade och snart var det bara kungen och prästen kvar på dansgolvet! Kungen hade lovat Rhodin en orden, men när han återkom till Stockholm blev han skjuten på operamaskeraden.

Shakespeare i Småland

Från utsiktsberget på Taxås klint ser man ut över Möckelns skogklädda örike. Det finns, utom Finland, bara Småland som har dessa lövskogskransade, sköna vatten. De är bildade på avsatser av Sydsvenska höglandet och alla är välkända, viktiga delar av landskapets liv och historia: Bolmen, Åsnen, Helgasjön och Möckeln för att nämna några på den nedre avsatsen, etthundrafemtio meter över havets yta. Ingen gör väl Åsnen rangen stridig, hjärtat i Värend med de långa näsen som fantastiska broar över vattnen. Fruktträden blommade på öar och näs redan under medeltid. Gunnar Hyltén-Cavallius var en av dem som bodde vid dess strand.

Som god tvåa kommer Möckeln, om man skall döma efter storlek, men för mig står den överst på prislistan. Kanske beror det på att Linné i sina brev och reseskildringar har gjort hela denna lummiga strandbygd så levande och åtkomlig för fantasin. Knut Hagberg har kallat detta landskap "shakespeareskt" med sina ekar och bokar, askar och lönnar, med ängar brokiga av vildblommor. Men det är framför allt ursvenskt i sin blonda skönhet och med sin doftande linnéa. Det är en hel värld av holmar och öar, som ligger utbredd för ens syn när man står på granitberget Taxås klint med dess magnifika enar. Där ligger Höö med sitt Marsholm, den största ön, "ett kungarike för sig, tusen tunnland i areal, en enda obruten pelarsal av mäktiga tallar och granar, i öster avlösta av ek och björk ..." (Albert Eklundh).

De stora gårdarna kring sjön är idyller som speglar både naturens och människornas historia. Dit hör Möckelsnäs på den sydligaste udden, ett paradis fjärran från storstadshets. Det säger något om bygdens betydelse att man under medeltiden här hade fasta borgar till försvar och att adelsmän haft säte här in i vår tid. Fiskgjuse och glada seglar ännu över vattnen. Grågåsen liksom hägern häckar ibland på Höö.

Till kretsen av gårdar hör också Byvärma, en herrgård som bär årtalet 1725 i sin väderflöjel. Därifrån ser man mellan ekarna mot Marsholm och Höö och sjöns östra sida. Den gården har inte mindre än tre konungar i ägarelängden: Karl Knutsson Bonde, Gustav Vasa och Erik XIV. Efter dem kom fru Görvel Ulfstand till Torup i Skåne. På 1600-talet bodde här vår mäktige kansler Axel Oxenstierna och senare hans syster Ebba Oxenstierna.

När medeltiden bröt in och de första templen byggdes här på 1000-talet hade det redan bott folk i denna sjöbygd i mer än tre tusen år! Man gläds åt att sådana utblickar ges i tid och rum och att det ännu lever människor som finner en lycka i att uppleva dem!

Vi möter Linné på riksgränsen

På den ännu slingrande landsvägen söder ifrån når vi den gamla riksgränsen vid Loshult. Det är en alldaglig bygd med skog och slätt, det är inte mycket som markerar den riksgräns, där så många strider stått mellan broderfolken.

Men vänta! Där står faktiskt en prydlig gränssten med årtalet 1766 och under bron flyter en å vars namn förefaller bekant. Mycket riktigt. Det är Getabäck, det vattendrag som förr bildade gräns mellan Sverige och Danmark. Och vägslingan som här lösgör sig från den nya vägen är den som fanns på 1700-talet och i ännu äldre tid.

En gammal bonde från en närliggande by har nog folktraditionen i

Gamla gränsstenen vid Loshult. Denna väg for Linné fram under sin skånska resa. Foto Tomas Nihlén.

tankarna, när han berättar om allt blod som flutit i denna å. Det var innan dikningarna tog vid och den hade ett mer respektabelt utseende som vattendrag och gränsflod. Här stod striderna mellan Värends folkuppbåd och de påträngande danskarna; här föll de kungliga svenska härarna in, härjande med eld och svärd långt ner mot Kristianstad. Men vår sagesman kunde också berätta att det även under danska tiden förekom fredlig handel över gränsen. Känt är t.ex. att oxhandeln mellan Sverige och Danmark var till mycken förtret för Gustav Vasa och hans fogdar.

När vi står här på gränsen får bygden liv i de historiska minnenas ljus. Episoder dyker också upp från vår egen tid. Det var här som en grupp nationellt sinnade studenter från Lund en gång demonstrerade mot de hatade "samojederna" och med spadar sökte fördjupa Getabäck för att på ett mer handfast sätt markera sina fredsvillkor: "hitintills men icke vidare!"

På gården med ägorna intill den gamla gränsen visar oss en kvinna som kommer från det småländska landet (hon trivs utmärkt i det skånska Loshult) och en infödd skåning i 20-års åldern den gamla vägen över Getabäck där Linné åkte. De berättar om gamla strider. Mest är det snapphanarna, som fängslat sinnena. En del har man väl läst i tidningar, en del minns man från skolan. Men kvar står ett bestämt intryck att den folkliga traditionen från mun till mun ännu lever. Här har vi framför oss två generationer, gå några få generationer längre tillbaka och vi är inne i 1700-talet.

Minnet av snapphanarna *lever* som sagt ännu i dessa trakter. Det berättas om när de tog krigskassan från svenskarna och gömde de tunga mynten inne i djupa skogen. Långt in i vår tid har man med framgång letat efter mynt i gamla trädstammar. Ännu ges också detaljer om slagsmål på krogen, som låg härintill, in i vår egen tid.

Många av berättelserna har kunnat historiskt beläggas. 1660–1680 rasade det långa, blodiga snapphanekriget här i gränstrakterna då danskarna försökte ta tillbaka sina gamla provinser. Danska flottan låg i Östersjön, danskt krigsfolk fanns över stora delar av Skåne. Svenskarna drog sig in mot Smålandsgränsen för att få förstärkningar.

Då inträffade "Loshultskuppen" – just den som är bevarad här i folkets minne. Karl XI:s krigskassa, lastad på inte mindre än 250 fordon, hade stannat vid Loshult. På hemligt tecken samlas bönder och krigare, även danska soldater är med. Den svenska vakten överrumplas och kassan tas om hand av snapphanarna och deras folk, göms i jorden eller förs över till danskarna. Det var tunga saker (en plåt kunde väga 20 kg), men det mesta gömdes undan och det händer att man ännu letar... Men bäcken flyter brun och trög över slätten och under bron, där slaget stod. Här finns en minnessten från 1766.

Vid den här gränsen möter vi också Linné. Det är 1749 och han är på väg söderut för att resa genom Skåne. Han har just besökt sin hembygd i Stenbrohult. I boken om sin skånska resa nämner han gränsbäcken och är genast färdig att redogöra för nyanserna i landskapet mellan Skåne och Småland:

> "Landet blev straxt mildare med flatare kullar, mer sand och mindre antal på sten samt sällan några höga, branta berg såsom i Småland."

Vi fortsätter alltså landsvägen mot norr och gör ett kort uppehåll i Älmhult (Almhultet), en liten by på Linnés tid, nu en skinande och blankpolerad modern centralort. Om mark och stenar kunde vittna här skulle man få veta mycket om stenåldersjägare, järnåldersbönder och nyodlare som i årtusenden upplevt krig och fred. Ännu lever ett svagt minne av den största trupptransport som drog här förbi, när Magnus Stenbock och hans getapojkar tågade ner mot gränsen för att försvara Skåne.

Möckeln är en av de första stora sjöarna i detta Småland, som verkligen kan kallas "tusen sjöars land". Vid dess östra strand ligger Stenbrohult, världsbekant genom att Linnés fädernehem låg här. Han berättar om det i sin Skåneresa 1749 men han ser nästan allt genom vemodets glasögon. Han var vid denna tid en världsberömd man, och hans begynnande livsleda skiner ofta igenom; så också här denna sköna majdag:

> Här fann jag fåglarna döda, boet uppbränt och ungarna förskingrade, att jag näpperligen igenkände det rum, där jag själv blivit utkläckt. Jag tyckte mig se campum ubi olim Troja*, på det ställe där min salig Fader Kyrkoher-

* Fältet där fordom Troja legat.

den Nils Linnaeus anlagt den trädgården, som fordom blänkte av de raraste örter i Sverige, vilken en häftig vådeld alldeles förstört, förrän tiden honom bortryckte, förledigt år den 12 Maji. Mina ungdomsnöjen, de raraste växter, som växa vilt på denna ort, hade ej hunnit ännu framkomma. Jag som för 20 år sedan kände varenda inbyggare i Socknen, fann nu knappt 20 personer övrige, dem jag alla i min barndom sett, unga drängar, de gingo nu med grå hår och vita skägg, utlevde, och en ny värld hade kommit i stället.

Herman Sätherbergs dikt- berättelse från 1879 om Linné, "Blomsterkonungen" inleds med denna Carl Larssons teckning av "Lille Botanicus".

Det är inte första gången Linné berättar om sin hembygd. Den skymtar i flera av hans självbiografiska anteckningar, i de mest charmerande brev av hans bror kyrkoherden Samuel Linnaeus. Härigenom står det klart att legenden om gossen Carl, lekande bland blommorna vid Råshults komministerboställe, har sin rot i verkligheten, och man vågar utan tvekan instämma i Knut Hagbergs tro att ingen stor författares eller vetenskapsmans gärning har så starka samband till hembygden och dess natur som Carl von Linnés.

Första gången Linné mer utförligt berättade om sitt hem var 1735, när den unge forskaren var på väg till Holland. Han stannade då en hel månad i fädernehemmet. Allt var inte väl beställt. Modern hade gått bort sedan han sist var hemma, och huset var i upplösning. Men naturen hade inte förändrats och när han bröt upp för att fara söder ut skildrade han sin hembygd med ord fyllda av lyrisk inlevelse: "Då man reste från Stenbrohult var vädret härligt, rågen höll på att gå upp, björken slog ut sina löv och skogarna klinga som ett paradis av fåglar".

Det är två olika temperament som kommer fram i citaten: den unge förhoppningsfulle, som upplever skogarna som ett paradis av fåglar; den åldrade, på höjden av sin bana, med en underton av pessimism i all genialisk beskrivning.

Även en nutida besökare kan känna vemod när han strövar i Linnés hembygd. Arvet efter Linné, som hade kunnat bli en världsattraktion, har man sannerligen inte förvaltat väl. Den gamla kyrkan i Stenbrohult revs med Tegnérs välsignelse och istället uppfördes en kyrka, om vilken man har sagt att den mer liknar en föreläsningslokal än en helgedom. Det gamla komministerbostället i Råshult har man förvandlat till hembygdsmuseum. Det är en byggnad från 1760-talet som knappast kan vara Linnés födelsehem. Man har svårt att tänka sig Linné här i den trädgård som är anlagd under 1800-talet. Det är en helt annan stämning än den som möter på Linnés Hammarby utanför Uppsala.

Linné ger oss en viktig upplysning om kulturlandskapet i sin hembygd:

Ängarne här på orten äro i samma gärde med åkern, som icke för sig själv är avstängd; de äro övervuxne med åtskilliga Löv-trän och mycken Lind, men Barr-trän, såsom Tall, Gran och En, tålas icke i dessa täcka ängar.

Det är en utsökt bild från den tid, när gräs och löv var det oumbärligaste fodret och åkrarna slingrade sig organiskt in i ängsmarken.

Mycket har förändrats sen dess, ängarna finns kvar som relikter, barrskogen tränger på från norr men ett glädjeämne består: intill Råshulta Södregård har man öppnat den igenväxande lövskogen och återställt just en sådan äng som fanns på Linnés tid och gav honom hans stora kärlek till

Vid Råshult, där Linné föddes, har man restaurerat en av de gamla ängarna. Foto Tomas Nihlén.

93

denna naturtyp och dess flora. *Det* är ett monument över Blomsterkungen och ger oss hans bild långt mer än museer och stadgar förmår. Från denna återuppståndna löväng når man också den smala åsen Getaryggen; där gick den gamla landsvägen på vilken Linné färdades på väg mot gränsen vid Loshult och vidare söderut. Och här är en annan av Linnés stora naturskildringar från sitt älskade Småland:

> Vädret var härligt, stilla och lugnt. Dimman låg som små moln över Kärren, och det späda gräset var fuktigt av dagg. Orrarna spelade på avstånd, trastarna visslade i träden, och andra fåglar kvittrade på sitt sätt.

Det har kallats ett av de skönaste prosapoemen på svenskt tungomål.

En lärd bonde i Dädesjö uttryckte sin tacksamhet så här för att Vår Herre hade gett Småland Linné:

> Annars brukar man ju se ner på oss som lite truliga och dumma bönder utan någon högre bildning. Men Linné var stor. Han fick världsrykte som vetenskapsman. Han blev en av våra största författare, han var både läkare och lärare. Honom kan de inte sätta sig på, och jag tycker att hans förnämsta adelskap var det att han var smålänning och aldrig glömde sin hembygd.

Så talade Hjalmar, svepte med handen över bokhyllan, där Linnés skrifter och Resor stod sida vid sida. Och så fortsatte han:

> Jag skall säga Dig en sak. Det har funnits och finns ännu många Linné i Småland. Inte med hans lärdom och vidsyn men med listig kunskap, naturkänsla, människokunskap och iakttagelseförmåga. Jag skulle i den här byn kunna ställa upp ett dussin bönder eller bondfruar som mycket väl skulle kunna ta upp ett samtal med Linné, men då fick det vara på småländska förstås för de latinska språkkunskaperna är det inte mycket bevänt med.

Det är inte fråga om annat: smålänningarna är stolta över sin Linné och detta inte bara för att han gav namn åt 8 000 växter utan främst kanske därför att det lärda snillet aldrig glömde sin hembygd.

Hembygdskänslan hade djupt fäste i hans själ. Och det är något man förstår i det att landskapet idag har mer än 300 hembygdsföreningar! Hans kärlek till hembygden hade också ett brett register, det inneslöt både hemmet, familjemedlemmarna, lekkamraterna och naturligtvis hela landskapet. Här ingick känsla och kunskap en lycklig förening. Han kan ibland påminna – utan jämförelse i övrigt – om den värmländske skalden Oscar Stjerne, som med förkärlek sjöng om "björkarna därhemma". Linné kunde aldrig glömma slåtterängarna i Stenbrohult och ett av de sista ord han skrev med slagrörd hand var "Nostalgia" – hemlängtan.

"En alldeles ofantlig träkista ..."

De svenska prästgårdarna och deras människor har spelat en stor roll i den svenska historien. Religiöst liv, bildningsliv, folkhushåll, litteratur och konst har på olika sätt varit knutna till dem.

Herdaminnen och krönikor berättar om prästernas roll under den nya tiden – längre tillbaka finns föga källmaterial. Präster och prästfruar, adjunkter och klockare träder oss till mötes i en brokig skara; myndiga patroner, fromma Guds tjänare, höglärda män och forskare.

I reseskildringar möter vi dem inte minst hos Linné, som ofta var gäst i prästgårdarna.

Kanske finns det inget svenskt landskap vars prästgårdar spelat en så stor roll och som ända sedan stormaktstiden tills nu har fått en sådan litterär återspegling. Från far till son, generation efter generation, gick ofta prästkallet i arv. Det skapade en kontinuitet som vår tid knappast kan föreställa sig. Ett tämligen modernt exempel är Kristdala med prästsläkterna Duraeus och Meurling. Med prosten Erik Meurling (död 1961) slutade en unik tradition. Han var den tionde av släkten sedan 1582 och den sjätte son efter fader sedan 1708 i Kristdala.

Vislanda är en annan småländsk prästgård med gamla traditioner. Om den prästgården och dess innehavare på 1700-talet vet vi mer än om någon annan prästgård i Småland tack vare Samuel Ödmanns "Hågkomster från hembygden och skolan". Samuel var dotterson till prosten Samuel Wiesel, som själv bara hade döttrar. Han växte upp i prästgården och upplevde denna sällsamma, djupt traditionsbundna miljön inifrån.

Berättelsen om Samuel Wiesel (1699–1773) har sina poänger. Han sändes redan som sextonåring till Lund för att studera. Under en föreläsning hade kung Karl XII, som just då uppehöll sig i Lund, observerat den unge Wiesel som var huvudet högre än sina kamrater. Kungen värvade folk till sin nya armé och lyckades få flera studerande, särskilt smålänningar, uttagna. Nu hade han kastat ögonen på unge Wiesel och skickade budbärare för att värva honom. Detta kom till faderns kännedom, som i tysthet lät hämta hem honom och med biskopens hjälp lyckades få honom prästvigd. När fadern dog 1731 blev han kyrkoherde i Vislanda utan varken ansökan eller val!

Kristdala kyrka med kyrkby efter teckning av C. S. Hallbeck. Under flera generationer har här verkat präster tillhörande släkten Meurling.

Kyrkoherde Wiesels hustru var född Littorin från Ljunga. De tillträdde huset "såsom det stod med husgeråd och allt". Och detta husgeråd hade redan från 1600-talet gått i arv från släktled till släktled. Det bibehölls oförändrat hela Wiesels livstid till 1773. Detta gällde inte bara möbler och inredning utan också gamla sedvänjor av vilka många hade sina rötter i drottning Kristinas tid, "ett slags överjordiskt Herculaneum".

Gården var uppförd av timmer på 1650-talet; i vår tid återstår endast en loftbod av den gamla prästgårdsanläggningen. Rum för rum, möbel för möbel beskriver Ödmann sitt hem. Som ett exempel vill jag bara citera vad han skrev om salens stora kista.

> En alldeles ofantelig träkista, stor som en skälig spannemålslår, intog i salen ett ansenligt rum. Det var ett slags skafferi och innefattade varjehanda för bordet brukeliga nödtorfter. Man såg där stora honungskrukor; burkar med insyltade och inlagda frukter; lingon och hjortron, kokade med honung; vattenlingon utan sött, som nyttjades till stek med sitt vatten; gurkor inlagda med körsbärslöv; päron med senap; rödbetor med mycket kummin; portulakstjälkar med ättika osv., vilket allt utgjorde de forna prästhusens högtidliga undfägnader. Allt var där till hands att från kistan sättas på bordet och serverades på tallrikar av glas. I denna kista förvarades ock uti särskilda lådor forntidens läckerheter till damers undfägnad; gorå, tunnrå, dels platta, dels hoprullade såsom cigarrer, äggskålar kupiga såsom tefat med mera dylikt, som i alla välbeställda prästhus borde finnas i förråd och ofta förvarades hela år, från ena bröllopet eller barnsölet till det andra. Denna kista ansågs icke vara en vanprydnad för en gästsal, ehuru grövsta bondarbete. Den stod fastmer omålad till år 1764, då tidens krav åtminstone utverkade en överstrykning med oljefärg.

Det fanns gott om skålar och dryckeskärl både av silver och trä. Man läser med särskilt nöje om de svarvade träskålar som kallades snibbskålar, "till färgen lika det starkaste prästhusöl", av inskriften att döma var de från medeltiden. Där fanns dryckeshorn med skoning av silver, flöjtglas närmast avsedda för damer. Han antecknar också ett stort förråd av silverbägare och silverkannor.

Vardagsstugan i sätesbyggnaden beskriver Ödmann så:

> Där spisade prosten med sina barn och tjänstefolket, dock vid särskilda bord. Man läste gemensamt till och från bords, och tillfälle gavs därmed att över tjänstefolkets seder hava nödig uppsikt. Förnämsta husgerådet var ett stort ovalt bord, överdraget med en passerad oxhud, i kanten fästad med mässingständrickor, som tillika fasthöllo en röd bordkappa runt omkring ovalen. Denna duk var outslitelig. På tjänstefolkets bord voro långa diskbrä-

den i stället för tallrikar. Dessa bräden upphängdes, tillika med bordet, på en spik.

I samma rum lågo prostens döttrar och husets pigor, så att över dessas nattseder icke saknades uppsyn. Där förrättades ock husets arbeten, så att rummet om vintern var garnerat med spinnrockar och om sommaren med vävstolar.

Det arbetades från bittida till sent i denna prästgård. Var och en hade sin uppgift att fylla. Klockan fyra på morgonen gick reveljen! Frukosten utdelades, drängarna hördes snart på logen, och sju spinnrockar surrade omkring den stora spiselden. För att man inte skulle överraskas av sömnen sjöng man morgonpsalmer, men under adventstiden förekom endast julpsalmer som sjöngs hela dagen under arbetet. Inga psalmböcker eller texter förekom. Man sjöng allt ur minnet. Efter måltiden förrättades bön, elden släcktes och alla gick till ro.

Prosten till häst med fru och sju döttrar

Wiesel i Vislanda var en präst av gamla stammen: Han ansågs vara något av ett original som konsekvent följde sin egen levnadsstil. Han var ingen lärd präst, han hade ju tidigt fått avbryta sina studier, men han blev med tiden en stor själasörjare. Pastorns plikter var för honom huvudsakligen fyra: att vårda sin församling, förestå sitt hus, betala sina skatter och lyda sin biskop.

Hans läsning var i huvudsak bibeln, som han kunde utantill, och Luthers skrifter. Han uppträdde som en fader både i sitt eget hus och i församlingen. Vid förrättningar inom socknen red han alltid. Vagnar användes knappast. Man såg honom ofta med fru och döttrar till häst i detta "Ridgötaland". Hans döttrar, berättar Ödmann, var uppfödda till verkliga amazoner.

Politik brydde han sig inte om och han deltog aldrig i de stora debatterna. Inte heller utrikesfrågor intresserade honom. Finska kriget, berättar Ödmann, erinrade han sig ungefär som en vanlig människa tänker på Erik den heliges korståg. Det nordiska sjuårskriget kände han till endast genom krigsbönen och genom att han saknade soldaterna på läktaren och tog hand om deras änkor. Givetvis höll han ingen tidning, och någon brevväxling förekom inte annat än med häradsprosten. Han var mycket älskad av sin församling. Alla kallade honom kära far och prostinnan kära mor. Kaffe fanns aldrig i huset, te kunde man någon gång bjuda gästande damer. Socker och kryddor var en ringa utgift. Det han köpte hos hökaren var endast julfisk, salt och sill.

Trots att det fanns en gammaldags tarvlighet som det hette i prästgården kunde den visa upp ett rikt och omväxlande bord. Men så hade han också en stor ladugård, trädgård, bigård och ett rikt fiske. Gåvor strömmade också till prästgården. Alla söndagar lämnades matvaror av olika slag. Var och en som lämnade en gåva, fick en kaka fint bröd i sitt kläde tillbaka.

En egenhet hos denne renlevnadsman, som aldrig nyttjade annan dryck än svagdricka, var seden att ingen skulle lämna hans hus oknäckt. När han var värd ville han inte se någon smutta på bägaren!

Hans sju döttrar blev alla hederliga prostinnor eller pastorskor och fruktsamma mödrar. När prosten på 1760-talet hade släktmöte var 49 personer samlade: döttrar, mågar och barnbarn och alla dessa människor levde i en mycket stor släktsammanhållning.

Under hela sitt liv hade prosten aldrig varit sjuk. Han avmattades till slut och gick bort utan feber eller plåga "vid fullt bruk av sina utvärtes sinnen och invärtes munterhet".

En gång måste prosten resa till tinget i Alvesta. Hans dotterson berättar därom:

> Om någon människa levat ett nöjt liv, så var det han. För rättegångar hade han en outsläckelig avsky. På sitt 70:de år anmodades han av landshövdingen att biträda en taxering på Alvestad (Alvesta), där ting då hölls. Han skrev ett hövligt brev tillbaka och utbad sig såsom en ynnest, att då han i all sin tid icke vistats på ett ställe, där ting hölls, hans grå hår måtte skonas för den nesan att där visa sig. Landshövdingen fann denna komplimang så egen, att han beslöt själv fara och förnyade sin anmodan. Han ville göra personlig bekantskap med en präst med så sällsynt aversion för domstolar. Här var ingen undflykt. Prosten lät smörja sina stövlar och skura sina sporrar samt

begav sig åstad på sin ystraste häst, åtföljd av sin klockare. De hade så tidigt lagt två mil tillrygga, att de voro de första på stället. Landshövdingen hade det nöjet att på en gång se stiftets längste präst och längste klockare. Det var honom ett nöje att tala med en pastor, som till pricka kände sin sockens ekonomiska behov. Flera goda författningar blevo följden av detta samtal. Då prosten avreste, beundrade alla hans vighet att kasta sig på en dansande häst, att sitta i sadel så fast som en stallmästare och i full karriär försvinna.

Wärend och wirdarne

En av Smålands märkligaste män under 1800-talet var den mångsidigt begåvade Gunnar Olof Hyltén-Cavallius (1818–1889). Han var en tid direktör för Kungliga Teatern i Stockholm, sändebud i Brasilien och därtill under några år bibliotekarie i Stockholm. Hans stora insats, det som blev hans livsgärning, var hans gigantiska uppteckningsarbete av visor och gåtor, sagor, sägner och folkmål. Redan som ung började han intressera sig för detta och hade hjälp av sin fader, den lärde prosten Carl Fredrik Cavallius i Vislanda.

Gunnar Olof Hyltén-Cavallius. Pennteckning av J. A. Wetterberg 1844.

Hans arbete svällde ut över hembygdens gränser och under samarbete med Georg Stephens på Huseby växte planerna på att samla folktraditionens material för ett större område. Och så kom Wärend och wirdarne till, nedskriven långt från hembygden, med hemlängtan som drivfjäder. Det var ett romantikens alster men samtidigt ett gigantiskt försök att ge bakgrunden till folkets andliga kultur i äldre tider.

Vid sidan om P. A. Säve blev han en banbrytare för en ny vetenskap: folklivsforskningen (etnologien). Det var också han som lade grunden till Smålands museum i Växjö. I mer än ett avseende var han en föregångare till Artur Hazelius. Och han hade sällskap med flera av romantikens folklivsskildrare Richard Dybeck, Carl Säve, Gabriel Djurclou.

Den som givit den mest inträngande analysen av Hyltén-Cavallius betydelse både som människa och etnolog är Nils-Arvid Bringéus, själv en värdig efterträdare till den store och blide forskaren i Sunnanvik vid Åsnens stränder.

Här återges en av Hyltén-Cavallius uppteckningar i sin ursprungliga språkdräkt:

De dödas julotta. De döde hålla om jula-natt guds-tjenst i kyrkan och deraf kommer sig att om man ser efter är det alltid mull på kyrko-bänkarna vid jul-ottan. Det hände sig så en gång i Thors (Thorsås) socken att posten red förbi kyrkan jula-natt, rätt vid midnatts-tid. Då såg han att der var ljust i fönsterna och hördes sång derinne. Han stadnade lite vetta och lyddes. Då hörde han sjungas:

"Här stå vi med gula ben och sjungom
med kaller ande, utan själ, intill domen".

Men karlen tyckte han hade hört nog och ville inte höra mera utan tog till piskan och red derifrån allt hvad ridas kunde.

Förr i verlden, när de inte hade några klockor i husen såsom de nu ha, hände sig att en qvinna ifrån Wirahult i Härlunda socken skulle rida till jul-otte. Men hon var kommen för bittida ut, så att när hon kom fram var det rätt vid den tiden som de döde hålla sin tjenst. Ja, qvinnan såg att ljusen voro tända, hon släppte så sin häst i stallet och sprang in i kyrkan. När hon kom in varsnade hon att der var mycket folk samladt; men alla sutto de utan hufvuden och der låg öfver dem ett sken, likasom man dragit öfver dem ett hvitt

"Julnattens årsgångsfärd." Teckning av J. A. Malmström i
Ny Illustrerad Tidning nr 52 1875 efter förebild från Hyltén-
Cavallius framställning i Wärend och wirdarne.

kläde. Då kan man väl veta att hon blef förfärad och ville straxt ut igen. Som hon nu kom ut på stigen (gången) mötte henne en af de döda och sade: "Vore du inte min godotter, såsom du är, så skulle jag bitit näsan af dig. Gå nu, men lemna din kåpa!" Ja qvinnan hakade upp kåpan och sprang åt dörren så fort hon någonsin förmådde, och alla de döda efter. Men om morgonen när folket kom till kyrkes hang der en lapp af qvinnans kåpa på hvart stolsräcke i kyrkan.

Samma sägen förtäljes äfven om en presta-fru i Gamla Wislanda; af hvars kåpa en lapp återfanns på hvarje graf på kyrkogården.

Den gamle krönikören Ericus Olai sa redan på 1400-talet: "Virden tänken och talar stort om sig själv, sina kvinnors forna tapperhet och därpå grundade företräden, sina uråldriga arvslagar."

Den kända Blendasägnen är en småländsk folksägen, som berättar om en kvinna som i spetsen för en skara Värendskvinnor nedgjorde en dansk här som infallit i Småland. Sedan männen flytt till skogs, tillagade Blenda jämte några andra kvinnor en ståtlig måltid för danskarna. När gästerna somnat in, överfölls de och dödades. Det var om den sägnen Tegnér uttalade de drastiska orden: "En flicka som super fienderna fulla och sedan mördar dem i sömnen, är ingen poetisk figur". Kanske är det sant som Lars-Olof Larsson skriver, att denna sägen tillkom som ett självförsvar när de gamla rättigheterna hotades av statsmaktens likriktningstendenser under Karl XI:s tid.

Värend har inte bara en ärorik förhistoria. Det har på olika sätt hävdat sig också i nuet. Bara några namn behöver nämnas: Carl von Linné i Stenbrohult, Per Henrik Ling i Ljunga, Esaias Tegnér i Tegnaby, Kristina Nilsson i Vederlöv, Pär Lagerkvist i Växjö, Vilhelm Moberg i Algutsboda.

Kristina Nilsson var kanske den som mest fångade fantasin och gav gestalt åt den småländska önskedrömmen: att från grå fattigdom nå rikedom och berömmelse. Det är helt naturligt att hon i skrift och muntlig tradition kallats för vår tids Blenda.

En saga från "Salens långa sjö"

I Småland och norra Skåne liksom i de delar av Blekinge som ligger närmast gränsen, kan man ännu i dag träffa på de bastanta, gjutna järnplattor som användes i de gamla sättugnarna. På många av dem står namnet på det bruk där de tillverkades. *Huseby* är ett vanligt namn och visar att järnplattan kommer från det anrika Huseby bruk, beläget mellan den malmrika sjön Salen och Skatelövsfjorden. Det är ett stycke småländsk historia med anknytning till det äldsta 1600-talsbruket och till en rad berömda brukspatroner och till dem knutna människor av den färgstarka sorten.

Hade det funnits en Selma Lagerlöf i denna bygd hade det lätt kunnat skapats en ny Gösta Berlings saga. Ingredienserna finns i riklig mängd; masugnar och dunkande stångjärnshamrar, kvarnar och smedjor. Om myndiga brukspatroner och lysande fester, sägner, vidskepelse och uråldriga traditioner kring "Salens långa sjö" har det berättats i generation efter generation.

Bruksherrgården vid Huseby är ännu en levande, slottsliknande byggnad fylld av konst och minnen. Den har ett bibliotek med nära tjugotusen band. Och det bästa av allt, ägaren till det legendariska bruket lever och residerar här ännu 1976 och kan trots sina 95 år ge oss glimtar av sin släkt, sitt hem och livet på bruk och gårdar som det tedde sig under förra seklet.

När jag på 1920-talet var på spaning i Småland efter det äldsta järnet, levde här ännu den mäktige och mångsidige brukspatron Joseph Stephens. Då var det liv och rörelse kring bruket, och jag minns hur elden glödde i den väldiga masugnen. Vattenhjul och kvarnstenar snurrade, man hörde dunket av tunga hammare i smedjan. I solen lyste den ljusa herrgårdsbyggnaden, omgiven av sin förtrollande park. Allt var som en saga, ett järnbruk från stormaktstiden som ännu levde och hämtade sin malm ute i sjöarna, så som man gjort i tusen år eller mer. Ännu mer av saga och äventyr var det att höra om Joseph Stephens öde.

Han var en ståtlig man med kolsvart skägg och ett öppet, energiskt ansikte. Ett utsökt porträtt av honom hänger ännu i herrgårdens salong intill en glasmonter med hans doktorskrans. Han hade tillbringat många år i Indien och bl.a. byggt några av de första järnvägarna där. Han hade samlat en stor förmögenhet och knutit förbindelser med framstående indier.

Hur kom nu denna främmande fågel att slå sig ner i Värend för att där bli en av Smålands största bruksägare och jorddrotter? Huseby ägdes vid denna tid av grevarna Malkolm och Hugo Hamilton. De hade på 1830-talet uppfört nuvarande corps de logiet (färdigt 1844), men deras ekonomi blev undergrävd och de tvingades 1867 att sälja. Gården gick på exekutiv auktion. Detta intresserade Josephs fader, den kände språkmannen och fornforskaren Georg Stephens. Vad som lockade denne mångkunnige engelsman, som på 1830-talet slagit sig ner i Stockholm, var vissa samlingar på Huseby och framför allt det värdefulla biblioteket med mer än tretusen band av bl.a. fransk litteratur. Han uppmanade sonen att köpa bruket och denne for till auktionen i Växjö. Enligt vad man berättar, var det ingen som kände denne mörkhyade främling. När klubban föll för hans bud, tog han lugnt upp sexhundratusen kronor och var med ens ägare till Huseby bruk med allt underlydande gods. Här börjar alltså sista fasen av Huseby saga.

Joseph Stephens var en storföretagare av rang. Han satte fart på både masugn och jordbruk, täckdikade och gjorde invallningar. Dessutom var han en framstående skogsman som planterade skog på kalmarkerna och väl vårdade den växande skogen. Hans begåvning togs också i anspråk för allmänna värv, bl.a. satt han i riksdagen 1886–1909. När Joseph Stephens övertog herrgården hade bröderna Hamilton lämnat kvar nästan allt lösöre, däribland värdefulla antikviteter. Detta lämnade han åter till de gamla ägarna men böckerna behöll han, dock med ett undantag, en rad franska volymer som innehöll pornografiska skildringar som Stephens inte gillade. Han plockade omsorgsfullt ut dem och brände dem. För denna "autodafé" fick han uppbära stort klander av fadern, som ansåg just dessa böcker ha särskilt kulturhistoriskt värde! Joseph fortsatte emellertid att med faderns hjälp utöka biblioteket. När han gick bort innehöll samlingen handskrifter, inkunabler och boktryck till ett antal av cirka tjugotusen (en del av dessa är nu deponerade på Kungl. biblioteket i Stockholm). 1934 avled Joseph Stephens och lämnade Huseby i arv till dottern Florence, som nu sitter i så gott som orubbat bo.

Dessförinnan måste jag berätta några ord om Florences farfar som var en av 1800-talets märkligaste män. En till Sverige inflyttad engelsman som blev framstående fornforskare knöt en rad kontakter med den tidens lärde: Geijer, Atterbom, Tegnér och framför allt med den store folkminnesforskaren Gunnar Hyltén-Cavallius, som blev hans synnerlige vän. Det var en tid då svensk diktning och historieskrivning dominerades av Götiska

Florence Stephens berättar
gärna om gamla tider och
förfogar över ett förträffligt
minne. Foto Tomas Nihlén.

förbundet, och i det storsvenska ruset trivdes Georg väl.

Man blir förbluffad när man ser vad han hann med; han översatte Tegnérs Fritjofs saga till engelska, skrev ett arbete om runorna (1866–84) och en rad skrifter i fornhistoria. Därtill var han en tid lektor i engelska i Köpenhamn. Han hade en omfattande korrespondens med vetenskapsmän och amatörer över hela landet. För att nämna några: P. A. Säve, Sven Nilsson, Hans Hildebrand, Oscar Montelius, N. G. Djurclou, Richard Dybeck, P. och H. Wieselgren och Arthur Hazelius.

Dessutom var han i tjänst hos Oscar I och knöt den kontakt med det svenska kungahuset som än idag upprätthålles av fröken Stephens.

Huseby är en av de gamla bevarade bruksherrgårdarna. Nuvarande ägarinnan Florence Stephens i biblioteket. Foto Tomas Nihlén.

Det berättas och man ser det också av porträttet, att Georg Stephens, som var av spansk-fransk härkomst, var en ståtlig man med aristokratiska drag. Det var en kraftkarl i åthävor och språk. I sin polemik drog han sig inte för att använda de mustigaste uttryck.

Både far och son vars sammanlagda levnad omsluter mer än ett sekel, var begåvade, viljestarka och färgstarka människor. De egenskaperna har gått i arv till dottern Florence, som haft att utkämpa en mångårig kamp på ett helt annat plan.

Näktergalen från Småland

Av "flickorna i Småland" är Stina från Snugge nog den märkligaste. Barfotaflickan som blev storsångerska i världsmetropolerna. Den sannsagan kan man lyssna till om och om igen; Kristina Nilsson föddes 1843 i torpet Snugge i Vederslöv, som tillhörde Huseby, där Florence Stephens idag residerar. Hon började sjunga och spela fiol som liten flicka, uppträdde på marknader och gästgivargårdar för att tjäna pengar till det fattiga hemmet.

Kristina Nilssons födelsehem, Snugge, i Vederslövs socken. Hit återvände sångerskan ofta för kortare besök på äldre dagar.

I Ljungby blev hon upptäckt av häradshövding Tornérhjelm, fick utbildning först i Halmstad, Göteborg och Stockholm. Sedan kom hon till Paris, där hon snart fick sitt stora genombrott på Théâtre Lyrique inför en kejserlig publik.

Den fattiga Stina från Snugge hade på tio år blivit en världsstjärna. Hennes konsertresor i Gamla och Nya världen blev sannskyldiga triumftåg. Avskedskonserten i Menton 1893 satte punkt för en konstnärsbana som nog inte ens Jussi Björling eller La Nilsson nått upp till.

När hon 1887 gifte om sig med greve de Casa Miranda fick hon på köpet en klangfull titel. Hon återvände hem till Småland och slog sig ner på villa Vik i Sandsbro, där hon dog 1921.

Många lever än som hörde henne sjunga – den förtrollande rösten glömmer ingen – andra har hört "sagorna" om Stina och hennes vandringar med eller utan positivhalaren Kalle Kruse från Vrigstad i norr till Ljungby i söder och runt om Växjö och Kronobergshed.

En utmärkt sagesman var Axel Johansson, ångbagare från Ljungby, en mångkunnig och minnesgod hembygdsforskare. Han kunde berätta om hur Stina 13 år gammal kom till Ljungby sommarmarknad 1856 och spelade och sjöng på den gamla gästgivargården. När det 1937 gjordes en insamling till en staty över sångerskan – f.ö. på initiativ av Axel Johansson – fick han ett brev från Amerika, i vilket en gammal väninna till Stina berättade om hennes första steg på den konstnärliga banan. Det förtjänar att citeras:

> Då jag hört att ni i Ljungby ämnar resa en staty över Kristina Nilsson vill jag som hennes barndomsvän från den tiden hon var i Ljungby tala om hur vi hade det då, ty vi var samman varje dag. Min mor som var änka var kokerska hos källarmästare Mårtensson på Ljungby gästgivaregård. Sommaren 1855 hade Mårtensson åtagit sig att hålla mat för officerarna på Kronobergshed de tre veckor de var där, och då fick mor följa med som kokerska. En dag kom det dit en liten flicka som spelade fiol och sjöng. Hon hade tänkt ligga om nätterna i tältet hos sin bror, som exercerade. Då sa mor, det kan du inte, du får i stället ligga hos pigorna i köket. Hon var där några dagar.
>
> Vid sommarmarknaden 1856, jag var då 7 år gammal, gick jag på torget och där fick jag se en flicka som spelade fiol och sjöng. Jag minndes än

sångerna hon sjöng, kanske därför att jag hörde henne sjunga dem så många gånger sedan. En sång lydde så här:

"Hu det är så kallt jag fryser,
knappast mina kläder skyla mig,
det är utav hunger och av köld jag ryser
ingen är som vill förbarma sig.
Glad jag skulle blifva, om ni ville gifva
stackars tiggarflickan endast en bit bröd."

Stina från Snugge, här avporträtterad av Bengt Nordenberg.

Jag tyckte det var så synd om henne, hon såg så snäll ut men hade så dåliga kläder. Jag gick hem och talade om för mor. Då sade mor, det är kanske samma flicka som var på Kronobergshed förra sommaren. Bed henne komma hit så skall hon få lite mat. Mor kände igen henne. När kvällen kom hade hon ingen bostad och då sade mor att hon nu också fick bo hos pigorna. Hon lämnade då mor de pengar hon fått och bad mor taga hand om dem. Detta gjorde hon varje kväll sedan. Hon var i Ljungby tre veckor, och om dagarna följde jag henne. Hon fick bo hos oss hela tiden samt fick mat på gästgivaregården gratis.

Om kvällarna brukade Stina gå upp till gästgivaregårdens stora sal, spela och sjunga där, ty en del Ljungbyherrar brukade sitta där och spela kort och dricka. Bland dessa herrar var domhavanden i Sunnerbo domsaga häradshövding Tornérhjelm. Han sade en dag till mor att det är en märkvärdigt vacker sångröst den lilla flickan har. Jag ämnar taga henne med till mitt hem när jag reser om några dagar, men hon har så dåliga kläder, vill inte kokerskan köpa lite kläder till henne så vill jag betala. Mor köpte då till Stina en fin brun klänning, kängor, strumpor, en silkesduk samt lite underkläder. Jag var så glad då jag såg min vän så fin, jag följde med henne till sömmerskan.

Så skulle hon resa, både hon och jag grät då vi skulle skiljas, vi hade blivit så goda vänner. Hon var så ledsen för att hon inte fick gå hem först och säga adjö till sina föräldrar. Då hon skulle resa bad hon mor taga hand om de pengar hon förtjänat i Ljungby samt sända bud till hennes far att hämta dem här. Så köpte hon ett förklädestyg till sin mor. Hon tackade under tårar mor för allt vad mor gjort för henne samt lovade att skriva och tala om hur hon fick det. Mor sände bud till Stinas fader, och då han kom och hämtade förklädestyget samt pengarna, vilket var nära 20 kronor, var även han mycket tacksam för vad mor gjort för hans dotter. Kristina Nilsson, grevinnan de Casa Miranda, skrev aldrig till mor och jag fick aldrig höra henne sjunga mer, men jag hoppas att åter en gång få höra hennes sång i den himmelska skaran.

Kristina Nilsson blev aldrig högfärdig. Hon höll kontakten med släktingar och barndomsvänner i sin småländska bygd och återvände ofta hem mellan sina långa triumffärder till världsmetropolerna – Paris, London, New York, Petersburg.

En nästan hysterisk begeistring gjorde sig gällande vid besöket i Stockholm 1885, då hon sjöng från en balkong på Grand Hotell. Kanske 50 000 människor var närvarande. Hon sjöng sina bravurnummer "Fjorton år tror jag visst att jag var" och "Värmlandsvisan". När människorna skulle vandra hem uppstod en svår trängsel just där Kungsträdgården börjar. Någon ropade "nu bär det i sjön" och full panik utbröt. Hundra människor trampades ner, vittnen berättar om obeskrivliga scener. Aderton människor dödades, mest kvinnor, och ett sjuttiotal skadades. Kristina Nilsson blev uppskakad, delade ut pengar till de skadade och anordnade en konsert för att hjälpa dem som kommit till skada. Den inbringade 4 000 kronor, men turnén avbröt hon.

Ända in i ålderns dar tyckte hon om glada tillställningar med sång och dans och uppsluppen stämning. När hon 1895 var hemma på bröllop bjöd hon in hela släkten till det renoverade Snugge; det blev ett hejdundrande kalas, där värdinnan själv stod för dansmusiken med sin fiol. Dessa besök på Snugge upprepades vid flera tillfällen. Många strömmade till för att få se Stina, som de kanske inte hade sett sedan hon skar "folkabössor" och tillverkade flöjter av rönnbark.

Hon ville gärna se släkt och vänner omkring sig och hon hjälpte dem allt vad hon kunde. Brorsonen hjälpte hon till det vackra Gårdsby säteri, där hon gärna vistades. Den älskade brorsonen gifte sig med Anna Schander, dotter till den fabrikör Carl Schander, som en gång hade hjälpt henne när hon gick och sjöng på Växjö gator och ofta blev avvisad från de rikes portar. Donationerna var legio: till Växjö museum, som skapades vid denna tid, till dansgillen och ungdomsföreningar, till stipendier och till många enskilda behövande, särskilt sångstuderande.

På det vackra Gårdsby höll grevinnan ofta hov och många människor från när och fjärran sökte henne. Så länge hon kunde gjorde hon täta besök i Växjö, där hon disponerade en våning i Schanderska huset. Många uppvaktningar skedde här på Kungsgatan. Man talar ännu om de hyllningar som ägnades henne en augustidag 1909. Hon var just den dagen på ett strålande humör och tackade för uppvaktningen genom att sjunga det ena stycket efter det andra till ackompanjemang av sin fiol.

112

1906 inköpte Kristina Nilsson villa Vik i Sandsbro, där hon vistades de tider hon var i Sverige, och där levde hon verkligen som en uppburen "änkehertiginna" som i officiella sammanhang uppträdde med självklar värdighet och i vardagslag var en blid och omtänksam medmänniska. När hon slog sig ner på Vik, gick en "grön våg" över Sverige. Detta år hade Zorn ordnat den första spelmanstävlan i Sverige och 1913 var man redo att ordna en liknande i Växjö. Då kom fiolerna fram och de gamla låtarna spelades igen. Naturligtvis var Kristina med och upplevde barndomens spelmansglädje. Hon glömde aldrig fiolen, låtarna och dansen.

När hon efter vintervistelsen i Spanien kom upp till Vik hade hon med sig ett helt litet hov, en sällskapsdam, en husföreståndarinna, en hand-räckning och flera tjänsteandar. Kocken spelade här en stor roll då gre-vinnan särskilt på äldre dar uppskattade ett gott bord. Hon brukade äta tre huvudrätter till middagen och hon var särskilt förtjust i kyckling och fisk. Under bärtiden valde hon helst blåbär till dessert. Hon föraktade heller inte att ta ett glas champagne till maten. På matbordet liksom i salongen stod ofta hennes älsklingsblommor blåklint och gula rosor. Hon blev också med åren ganska fyllig och när man ser fotografier från de senare åren, har man svårt att tro att det är samma människa som lilla magra Stina från Snugge.

Kristina gjorde ofta utfärder till Växjö och Evedal. Hon promenerade gärna runt på gatorna som hon kände från flickåren. Ett rörande drag är att hon gärna stannade och pratade med små flickor hon mötte. Ofta gav hon dem en silverslant som avsked. Hon kom ihåg sina egna fattiga flickår. Fram till sin död 1921 vistades Kristina Nilsson på Vik och fick under de senaste åren vara med om många hyllningar. Kanske var 70-årsdagen en av de mest minnesrika. Den firades på Stadshotellets festvåning. Pelarsalen blev ett enda stort blomsterhav, en kinematograffirma filmade, drottning Viktoria sände en magnifik skål i emalj och guld, Musikaliska Akademien uppvaktade, Evert Wrangel talade och operasångare Arvid Ödmann över-lämnade en lagerkrans från Kungliga Teatern. Vad man särskilt tackade sångerskan för var hennes stora donation, Kristina Nilsson fonden, till uppförande av arbetarbostäder i Växjö.

När man läser sagan om Kristina Nilsson ställer man sig gång på gång frågan vad det var hos henne som så fängslade människorna. Musikaliska uppslagsböcker ger oss besked om röstens kvalitet: en mjuk sopran med starka skiftningar och med en utsökt koloraturteknik. Dessutom var hon en utmärkt scenartist. I dessa definitioner kan inte hela sanningen ligga. Hon hade enligt de flesta sagesmän, en mäktig men ändå utomordentligt känslig och musikalisk röst. Det berättas också att hon sjöng med en sällsynt glädje och inlevelse. Den klockrena rösten kom från ett naturbarn, en naturbegåvning, som trots den omsorgsfulla skolningen inte förlorat de genuina dragen. Det var en sällsynt kombination och man förstår att hennes sång fångade såväl den kejserliga publiken på operan i Paris som folket på en småländsk marknad.

Herman Klein tänker på ett övernaturligt väsen när han hör henne

Kristina Nilsson i en dramatisk scen på operan i en samtida bild.

sjunga. Han talar som så många andra om den klocklika klangen, ljuvt metallisk och ljuvligt ren, med en förledande timbre. Rösten kunde på ett sätt vara kylig men förmedlade ändå en glödande värme. "Varm som sammet, klar som kristall". Rösten hade på samma gång en väldig kraft och en stor känslighet. Jag har hört en sakkunnig sångpedagog säga att hon i visst avseende kan liknas vid Jussi Björling. Där fanns under hans storhetstid flera tenorer lika framstående som Jussi, men han hade i sin röst och sin musikaliska framtoning något odefinierbart skönt som fångade alla. Så kan sägas, menade han, också om Kristina Nilsson.

Florence Stephens på Huseby har många personliga minnen av Kristina – "min vän, mammas vän, familjens vän". Hon kom nästan alltid på besök mellan de världsomfattande turnéerna och för varje gång, berättar fröken Stephens, hade hon lagt ut och blivit fetare. Hon blev mot slutet en mycket korpulent dam.

Snugge, som egentligen var mer bondgård än torp, köpte hon av brukspatron för en summa av 5 000 riksdaler.

Kristina, fortsätter fröken Stephens, var en mycket god berättare och man måste beklaga att hon aldrig skrev ner sina minnen. Hon upptäckte ganska snart sin talang. Hon var inte mer än 8–9 år när hon gick omkring till soldatmötena och sjöng och berättade för knektarna, det var sannerligen inga visor för salongerna. Men Stina var inte blyg, hon visste vad soldaterna ville ha och hon ville tjäna pengar. Ibland hände det också att hon uppträdde i stallet på Huseby. Särskilt tyckte hon om att stå i ett av fönstren och sjunga för folket. Under "mellanakterna" hjulade hon friskt på gräsmattan.

Hon brukade ofta hälsa på sin gamla syster Anna Katrina. Det var en gammal pratsam gumma som gick i sjalett och neg djupt för sin berömda syster. Visserligen hade hon fått en stuga av Kristina, men hon fick sällan mer än en hundralapp, när hon kom på besök.

– En gång sa jag till henne att det var ganska snålt.

Då svarade Kristina:

– Glöm inte att de är bönder. De vet inte om mer. De skall inte ha mer! Kristina Nilsson var generös, men hon kunde också spara på slantarna.

Kristina Nilsson, grevinnan de Casa Miranda, med sin gamla syster Anna Katrina.

Tegnér och prästfruarna

På sin magnifika höjd helt nära S:t Sigfrids källa ligger den pampigaste av alla biskopsgårdar i riket Östrabo. Flera biskopar har residerat här men Esaias Tegnérs namn är så hårt knutet till gården att den ofta får namnet Tegnérs Östrabo. Det var här den spirituelle skalden och vältalaren residerade från 1827, berömd, omsvärmad, förtalad. Det var härifrån han skådade ut över den ganska trista småstaden, där skvallret gick mellan gårdarna och biskopens svärmerier ventilerades.

En teckning av den unge Gunnar Olof Hyltén-Cavallius visar att Tegnér mottogs med blandade känslor av de småländska prästerna.

117

Det finns väl åtskilliga skildringar av festerna på Östrabo – Tegnérs minne har ju levt friskt ända in i vår tid – men knappast någon har givit en bättre tidsbild och ett roligare porträtt av Tegnér än Gustaf Fröding i hans dikt "Hans högvördighet biskopen i Växjö":

> Det lider mot slutet av biskopskalaset
> och biskopen klingar med gaffeln mot glaset
> och fyller det bräddfullt med skummande vin
> och blinkar i smyg till sin vän Heurlin.
>
> Prostinnorna tystna, kaplanskorna tiga,
> och halvmätta suckar av vördsamhet stiga
> ur prostarnas djup, och bedrövat och tungt
> mot tallriken blicka kaplan och adjunkt.
>
> Av lyssnande andakt gå moln genom salen
> i väntan på ett av de frejdade talen,
> där biskopen plägar att utsmycka tron
> med tankfulla bilder.

I fortsättningen av dikten far Apollo över Thule, och strålar från gudomens härlighet stormar bland lockarna över biskopens panna. Biskopen reser sig, ögonen ljungar av trots mer än av tro. Det är attiskt salt på biskopens tunga och tankarna kommer direkt från Atén. Man hör i talet kentaurerna stampa i parken och menaderna dansa. Skogarnas väsen lockas ut ur klyftorna, fauner och nymfer skockas i fönsterna och skrattar åt det vördiga prästerskapet. Så till sist – i dikten:

> Men snart går en viskning i lönn genom salen:
> "herr biskopen blickar för djupt i pokalen,
> om detta får gå, så blir biskopen galen!"
> Från hus till hus går den stora skandalen
> i hela den småländska jämmerdalen.

En härlig bild av den nordiske sångaren, en dråplig karikatyr av de småländska prostinnorna. Är den sann? Elin Wägner, som vuxit upp i en gammaldags prostgård i Småland och som hade god kontakt med både "kära far" och "kära mor" runt om i landskapet, gick till skarp attack mot Frödings karikatyr. Det är inte bara den varmhjärtade och slagfärdiga kvinnosakskvinnan som talar, det är en människa som kände djupt för en kategori människor som haft lätt att bli bortglömda.

Hon ansåg dikten fullständigt galen. Smålands prästerskap, menade hon, lät minsann inte förbluffa sig av Tegnér så lätt som Fröding trodde. När det gällde att blicka djupt i pokalen fanns det många som kunde ta upp tävlan med Tegnér och lärda präster som Agrell och Lagergren var inte främmande för klassiska ideal.

Och prostinnorna! De tappade inte hakan så lätt. De hade varit med om det mesta, krig och pest och förnedring, barnsängar och dödsbäddar, slit och försakelser. Hade t.ex. prostinnan Almén från Åsenhöga varit med på kalaset – hon som var hemmastadd både i tonkonst och vitterhet – skulle hon nog ha klarat av en lämplig replik, när hans högvördighet satte sig ner efter talet. De damer som tillhörde och ännu tillhör Smålands gamla prästsläkter, hade enligt Wägners uppfattning en perfekt stil. Hur man skall uppföra sig är hos dem en medfödd tradition.

Hästen som fann en hälsokälla

Låter inte det som en riktig saga: En gammal orkeslös och blind häst finner en hälsokälla, som blir vida berömd i hela Småland och besökt av både landshövdingar, biskopar, adelsmän och vanligt folk! Till sist får den kungligt privilegium och får samma rang som Medevi, Ramlösa, Ronneby, Sätra ...

Hur kan detta hänga samman? Under Kronobergs Kungsgård utanför Växjö låg vid 1700-talets början ett torp som kallades Fällorna. Torparen hade en gammal uttjänt och blind häst som han gärna ville bli av med. En dag tog han ut den ur spiltan och lät den gå all världens väg. Döm om torparens förvåning, när den spattiga märren en dag kom åter men nu i prima kondition; den rörde sig som en unghäst och t.o.m. ögonen hade förbättrats.

Vad hade hänt? Jo, hästen hade hittat en källa med järnhaltigt vatten och därur druckit sig till hälsa! Det spreds som en löpeld i bygden och

119

snart vallfärdade folk till källan för att dricka sig friska. "Snart hukade sig män och kvinnor vid källans rand och drack av det livgivande vattnet." Provinsialläkaren i Växjö, Johan Stensson-Rothman, prövade vattnet och fann det nyttigt mot ett flertal "chroniska sjukdomar". Rothman kunde man lita på ty han hade fått beröm av självaste Linné, som jämförde vattnet med det som fanns i Medevi, Ramlösa och Ronneby.

1720 startade man brunnsdrickningen på allvar, kungliga privilegier utdelades och namnet Fällorna ändrades till det mer välklingande Evedal (efter landshövdingskan Eva Mörner, som var en ivrig brunnsdrickare och frikostig donator).

Från slutet av 1700-talet berättar sjukdomsjournalerna om vilka underverk detta vatten kunde uträtta: Jöns Johansson från Västra Torsås besvärades av "ledsnad och sinnesoro samt led av magsyra och väder". Han gick igenom en kur, drack och blev frisk. Pigan Ingeborg Månsdotter från Skatelöv hade "dragsjuka" med stora besvär i ena foten och armen. Hon började dricka 1799 men värken satt kvar. Då återvände hon sekelskiftesåret 1800 och se, då fick hon åter sin hälsa.

Många besökare angav liknande vittnesmål, och brunnens rykte spreds vida omkring. Kring 1820 inrättades också gyttjebad. Snart strömmade folk till och det kom också gäster som drack för ro skull. Nöjeslivet började blomstra, man spelade käglor, rodde, promenerade och dansade. "Sommarnöjen" växte upp runt kring Evedal, ett slags utvärdshus till Växjö hade skapats.

Det är roligt att studera namnen på inskrivna badgäster, grevar och baroner, präster och lekmän, bönder och godsägare, svenskar och utlänningar. Ortstidningarna lämnade varje månad rapport om brunnsgästerna. Evedals mest berömda kurgäst var självaste biskopen Esaias Tegnér. Hans hälsa var skral, och hans läkare rådde honom att pröva gyttjebaden vid Evedal; det var 1844. Men den hårt prövade Tegnér hade ingen framgång. Så skriver han till sin vän Brinkman:

> Mitt vänstra knä är så gott som förvissnat och benet vill ej gärna lämna jorden, då jag skall gå. Förmodligen blir jag en gång helt halt så att jag måste nyttja krycka. Även min vänstra axel är svag men det kan vara reumatism

och bekymrar mig föga. Däremot oroar mig knäet, ty något vederstyggligare än att halta, vet jag ej. Även tungan är upprorisk och slöddrar när jag vill tala. Vad som oroar mig är att detta ej blivit bättre med sommaren. Nu vill jag försöka att bada i sött vatten vid Evedal 1/2 mil från Växjö, där gyttjan mycket berömmes mot reumatiska åkommor. Just i dag skulle jag börja, Quod felix fanstumque sit!

Det måste ha varit vemodigt att se den trotsige och tidigare så vitale Tegnér linka omkring på grusgångarna vid Helgasjöns strand, slagrörd och desillusionerad. Badortsliv var ingenting för Tegnér. "Bad är som fallna kvinnor, de är tråkiga men nyttiga för hälsan" skrev han till en vän.

Han hade inte lång tid kvar. Han återhämtade sig aldrig från slaganfallet, reumatismen blev inte bättre och 1846 – ett par år efter gyttjekuren i Evedal – gick han bort.

Brunnen vid Helgasjön upplevde en sista storhetstid 1890–1920. Järnvägen förde den närmare staden, en restaurang i bästa schweizerstil uppfördes. Den hade duktiga källarmästare. Den som önskade kunde med den lilla ångaren Thor ta sjövägen ut till landet. Till staden for med samma båt torgmånglerskorna med sina korgar och bylten.

Gäst hos verkligheten

Söder om järnvägsstationen i Växjö ligger gamla domprostgården, som byggdes för drygt 200 år sedan. Det är en byggnad som Växjöborna betraktar med särskild vördnad och glädje, med vördnad därför att Pär Lagerkvist bodde här som barn, med glädje därför att den legendariska Järnvägsrestaurangen under många år var inrymd här. Det är alltså ett hus som hör litteraturhistorien till; skalden har på sitt finstämda sätt berättat om det i sin bok "Gäst hos verkligheten".

Minnesgoda ortsbor minns ännu eller har hört de gamla berätta om den festliga restaurangen, som stod färdig 1883 genom tillbyggnad av den gamla prostgården. Järnvägen hade kommit till 1865, de resandes antal ökade, sällskapslivet i staden tog fart – en stor festlig lokal behövdes.

"Järnvägen" blev snabbt populär. Stora matsalen hade ett allmänt smörgåsbord, som säkert skulle ha lockat Fritjof Nilsson Piraten till en litterär rundmålning. Ännu vid seklets början stod detta dignande småländska bord dukat till frukost, middag och supé. Traditionen berättar att det fanns ett särskilt bord för brännvinet och att man serverade alla de sorter som var populära i landet vid den tiden. Brännvinsbordet var ett annex till smörgåsbordet och i äldre tider kostade ett par supar inget särskilt. Det var ingen som kontrollerade hur många supar man tog till maten och tydligen blev konsumtionen alltför hög. Det infördes så småningom – en bit in på detta sekel – "restriktioner"; varefter supen kostade 10 öre.

Det var för övrigt ett mycket innehållsrikt hus. Kaféet låg intill matsalen. Ett särskilt rum fanns för mindre sällskap, där man kunde få den populära sexan, som bestod av ett mindre smörgåsbord och ett flertal smårätter till det facila priset i ett för allt 1:25 (det var andra tider, men också ett annat penningvärde). På andra våningen låg en klubblokal till vilken endast utvalda ägde tillträde. Där fanns tidningar och tidskrifter att tillgå, liksom diverse spel, framför allt brädspel. Det berättades länge om överstelöjtnant Nilsson Aschan, som var passionerad brädspelare, att han en gång förlorade elva partier i sträck, vilket smärtade honom mycket, trots att motspelaren var hans gode vän Olof Bratt. Fester och olika evenemang, framför allt studentmiddagarna, hölls självklart på Järnvägen. Det var också en tid mycket populärt att äta bröllopsmiddag på denna restaurang. Så berättas att den kände författaren Sigurd (Alfred Hedenstierna) åt en glad och festlig bröllopsmiddag på Järnvägsrestaurangen midsommaraftton 1885, "innan han med middagståget anträdde bröllopsresan till Danmark".

Se, det var en riktig restaurang av den gamla typen med musik för spisande gäster, med tillgång till kägelbana och biljard, med utsikt mellan parkens stammar mot Strandpromenaden och Växjösjön. Talrika bersåer gav möjligheter till ostörda samtal och umgänge i mer sluten krets. Musiken spelade och dansen tråddes på dansbanan "Pråmen".

Men krigsåret 1939 slogs portarna igen. Vår tid, som inte har bruk för järnvägsrestauranger av typ Lilla Paris, har tagit hand om den gamla

Järnvägen, skalat av schweizergrannlåten och återfört byggnaden till den mer fromma stil som anstår en prostgård. Sedan har bostäder och kontor inretts i den gamla gården.

En vän som bodde där under det nya skedet berättar att det en gång knackade försynt på dörren. En liten man trädde in, bugade lätt och såg sig omkring: "Förlåt, om jag tränger mig på. Mitt namn är Lagerkvist och jag ville gärna kasta en titt på mitt barndomshem. Det är så mycket som har förändrats sen dess ..."

Många av stamkunderna lever ännu och även några av de anställda från glansdagarna. Dit hör Anna Svensson i Hårestorp (född 1884), som ännu för några få år sedan kunde berätta för Nils Hyltén-Cavallius om sina år som husmor på Järnvägen. Hennes kokkonst var vida berömd, och det var framför allt den som drog de många stamgästerna till restaurangen. Man kunde finna dem överallt – i stora matsalen, i kaféet eller smårummen. "Jonte" som hon kallades kände de flesta av dem, deras vanor och egenheter och framför allt vilken av krogens specialiteter de föredrog. Skall det nämnas någon särskild rätt var det pytt i panna som Jonte lagade med mästerskap men även hennes potatisbullar och korv var vida berömda. På tredjeklasserveringen kunde det vara ett bråkigt klientel och här arbetade också de skickligaste servitriserna. Hunden Dick hjälpte dem att injaga respekt: "Varning för hunden" stod det också på dörren. Här fördes inget salongsspråk. En stamgäst hade fått ett stycke dillkött i vrångstrupen mellan suparna. Han höll på att kvävas men "Fia på trean" röt utan förbarmande:

"Ut med dig gubbstolle. Här får du inte sitta och dö."

Till detta hus är alltså knutet minnet av Pär Lagerkvist, en av de stora diktare som Småland har fött, kanske den allra största. En idédiktare, en epokbildare som står för en litterär förnyelse liksom Verner von Heidenstam. Han har inte direkt sökt sina motiv i hembygden. En litteraturhistoriker har sagt att vad som finns av smålänning hos Lagerkvist eller vad som finns av Småland i hans produktion är inte lätt att utreda. Och ändå! Denne diktare som både på fädernet och mödernet har rötter i det gamla Värend har – vågar man påstå – som få hämtat sin andliga näring i

Småland. Han kom aldrig ifrån barndomsintrycken i den enkle stationskarlens hem. Hans skildring av föräldrarna och kanske främst mormodern utgör ett stycke klassisk Smålandsskildring i minst lika hög grad som Albert Engströms noveller.

Stämningar från barndomslandet, kontakten med de enkla, fromma människorna fick han redan som liten och han behöll den livet genom:

> Det kom ett brev om sommarsäd,
> om vinbärsbuskar, körsbärsträd,
> ett brev ifrån min gamla mor,
> med skrift så darrhänt stor.
>
> Ord intill ord stod klöveräng,
> och mogen råg och blomstersäng,
> och Han som över allting rår
> från år till år.
>
> Det var en lukt av trädgårdsgång
> och av lavendel, aftonsång,
> och söndagsfriden då hon skrev
> till mig sitt brev.

Även i hans stora verk med motiv hämtade långt från hembygden kan man finna dessa människotyper med stilla glädje, förnöjsamhet och trygga religiositet. Kanske har vi inte helt förstått hur hans folklivsskildringar ("Bröllopsfesten", "Frälsar-Johan") suger näring ur den småländska jorden. När han väljer motiv från hela Norden, skymtar man ofta den småländska hembygden. I dikten "Detta är landet" är nog barndomens Småland det som hägrar:

> En gång som död skall jag längta att stå
> vid grinden bland hemmets gärden.

I "Drömspelet" och "Midsommarnattsdröm i fattighuset" ger oss Lagerkvist en slags motsvarighet till Engströms novell om fattighuset, men han för oss ett stycke längre. Vardagens grå enahanda lyses upp av en stark tro på människosjälen och evigheten. För den som i lugn och ro och utan någon litterär pekpinne vill uppleva Lagerkvists barndomsmiljö, hemmet med dess skiftande sysslor, tågen utanför, lokomotiven som visslade, järnvägsrestaurangen med sin park och sina människor, bör sätta sig ner i lugn och ro och läsa boken "Gäst hos verkligheten". Där skildras också på ett sätt man aldrig glömmer, resan med tralla genom landskapet och besöket hos mormodern och morfadern, vars gård på det småländska landet doftade av blommor, träd och jord. Så intimt och kärleksfullt har sällan en småländsk gård skildrats. Om sitt eget hem i Växjö skriver Lagerkvist de enkla men stora orden:

"En sådan stillhet som det fanns där i hemmet finns det inte ofta i världen."

Urshult och tusenåriga äpplen

"Håll med om att det knappast finns något vackrare insjölandskap i Småland än det kring Åsnen". Mårten Sjöbeck blir lyrisk, när han beskriver det – de låga sönderskurna stränderna, uddar och vikar, mångfalden av stora och små holmar. Det är för honom Smålands ljusaste och mest tillgängliga insjölandskap.

Det är ett landskap som är präglat av en uråldrig ängskultur, kanske går den åter till forntiden, säkert har den medeltida anor; det är ganska enastående i vårt land. Ängen har här betytt allt, åkern nästan ingenting. Man inser varför landskapslagarna från 1200-talet gav skydd åt bärande träd som ek, bok, hassel och vildapel. Aplar fanns i vårt land redan under stenåldern, vilket fynden i Alvastra visar. Men folksägnerna har en annan historieskrivning: det var soldaterna från det trettioåriga krigets tid som plockade med sig hem äppelkärnor som de satte i hembygdens mark. Men det kan också vara så som den store fruktodlaren David Magnus Klingspor ansåg, att soldaterna lärde sig ympningens konst, tog med sig hem sticklingar och ympade in dem på vildaplarna i hemmets ängar. På 1600-talet var i varje fall fruktodlingen i full gång. P. G. Vejde har berättat att sådan odling fanns omkring 1630 på herresätet Grips-Vembo. Men då hade som sagt vildapeln frodats där i tusen år och mer. I bygderna kring

Skulptur av äpple i Urshult. "Den gärning D. M. Klingspor utförde minns bygdens odlare med tacksamhet" (Konstnär Ingemar Svenson). Foto Tomas Nihlén.

Åsnen förekommer ännu rikligt med vildapel, och det är inte omöjligt att den omfattande fruktodlingen i Urshult bygger på ett underlag av vildapel.

För den som vill uppleva det forntida (eller medeltida) ängslandskapet finns inget lämpligare mål än Sirkön·den största ön i Åsnen. Här möter man utom moderna fruktodlingar även vildapel och rikligt med ek, hassel, lind och ask. Och man får inte heller glömma de jättelika, dekorativa enarna. På 1600-talet hände det att inte mindre än 500 svin betade i ollonskogarna på den lilla Sirkön. Far dit på våren när träden blommar!

Fruktodlaren Gösta Franzén vid blommande fruktträd på gården Ugglekull i Urshult. Foto Tomas Nihlén.

Flickorna i Småland

"Röd lyser stugan" har blivit en slags "nationalsång", en nästan officiell manifestation för Småland i våra hjärtan, en hyllning till hembygden (på samma sätt som Pär Lagerkvists dikt "Hembygden"). Att den brutit sig ut ur massan av hembygdssånger beror nog främst på Ivar Widéens tonsättning.

Men det finns andra visor och sånger som lever kvar hos alla smålänningar likt folkvisor och skillingtryck. En sådan är "Flickorna i Småland", vars upphovsman är den mångfrestande smålänningen Karl Williams, den femte av tio syskon, född i Ryd, som ligger i det fornminnesrika Hamneda. En mångfrestande och berest man och författare. Nya Växjöbladet har bl.a. publicerat hans noveller, bygdehistorier och kåserier.

Klätterskulptur av Arvid Källström, Påskallavik. På skämt kallad "en av Flickorna i Småland". Foto Tomas Nihlén.

Nåväl, denne småländske äventyrare hade så lätt att skriva men svårt att hålla sig kvar vid skrivbordet. Jakten, fisket och umgänget med naturen var hans stora lidelse. Här fann han sina motiv, men han skrev även om torpare, indelta soldater och backstugusittare, om troll och gastar och mjölkkor. En levadsglad och mångfrestande krumelur var han.

En höstdag åkte han rakt på flickorna i Småland – och en berömmelse som kom från himlen sänd. Det gick till så här. Williams som bodde i Hamneda skulle på en skyttefest i Torpa. Under vägen fick han se några flickor som under glada skämt plockade lingon i skogen. Det måste ha varit en festlig syn. Löven lyste gula, solen sken milt över tuvor och stenar. Karl Williams greps av inspiration, tog upp sin anteckningsbok och skrev på stället ner dikten om "Flickorna i Småland". I den dikten ville han inbegripa allt det bästa Småland äger av kvinnor, de lekande lingonplockande, de gamla strävsamma – och inte minst hans egen fästmö Karin.

När Karl kom fram till festen läste han upp sin dikt. En närvarande musikdirektör improviserade en melodi och en broder sjöng. Så introducerades den glada sången, och den blev välvilligt mottagen.

Men genombrottet ägde rum först 1913, när Fridolf Lundberg satte sin melodi till den.

Det är över 60 år sedan men ännu lever visan med oförminskad kraft – en fullträff med folkvisans behag och en mjuk, följsam melodi.

Några har sagt att flickorna inte var småländskor. Axel Johansson, sakkunnig i ämnet, svarar indignerat:

– Det är fel! De är *äkta* sådana.

Kanske ligger det något mer under sångens livslängd än ord och melodi, en hyllning just till kvinnan, till alla ljusa, glada småländskor "den bästa i hela världen". En slags motsvarighet till F. A. Dahlgrens Värmlandsvisa, där hyllningen också gäller mön och "Värmeland du sköna".

Och så här är Karl Williams sång om flickorna i Småland:

> På lingonröda tuvor och på villande mo
> där furuskogen susar susilull och susilo
> där kan du se dem en och en och stundom två och två
> på lingonröda tuvor komma dansande på tå.

Det är flickorna i Småland, det är flickorna från mon.
Det är flickorna som vallmoblom och lilja och pion.
Ja, det är flickorna i Småland, susilull och susilo
som gå vallande och trallande på villande mo.

Och går du ut på vägarne, du gångande sven,
och går du ut i världen för att söka dig en vän,
och frågar du och spörjer, susilull och susilo,
var månn' i hela världen de bästa flickor bo.

Det är flickorna i Småland o.s.v.

Och vänder du dig spörjande att få den gåtan löst
och vänder du dig sörjande mot väster och mot öst,
då skall du höra vindens susilull och susilo
dig svara var i världen de bästa flickor bo:

Det är flickorna i Småland o.s.v.

Nils Dacke – hjälte eller förrädare?

En gång på 20-talet träffade jag Fabian Månsson i Stockholm. Han var riksdagsman, och jag hade någon gång hört honom tala i Andra kammaren och även hört honom hålla ett föredrag på Clarté i Gamla stan. Jag har glömt det mesta av hans föredrag men jag kommer ihåg att han i sitt revolutionära nit gång på gång nämnde Dackes namn. Det slog mig då att det var något av en modern Dacke över honom, en orädd motståndsman. Ett intryck som befästes när jag sedan läste hans bok om "Gustav Vasa och Nils Dacke". Efteråt berättade han om den småländske upprorsmannen och hur han följt honom på vandringar från Blekingegränsen upp till hjärtat av Småland.

Det är väl möjligt att Fabians bild av Dacke inte håller för en skarp historisk granskning, men den är ytterligt stimulerande och var säkert vägledande för Fabian själv under hans många "fälttåg". I vår tid har Nils Dacke blivit en slags symbol för småländsk upprorsanda eller rättare för revolt över huvudtaget. Det har skrivits massor av böcker, historiska skildringar, fantasifulla romaner och skådespel om Dacken. Statyer har rests över honom, gator har fått hans namn. Men ändå är det som man inte riktigt kommer honom in på livet. Var han en "tjuv, förrädare och kättare" eller var han en frihetshjälte?

På sockeln till Arvid Källströms skulptur Dacke-statyn i Virserum skildras hur en ryttare kommer med kungens bud att stoppa försäljningen av oxar till Danmark, och hur allmogen samlas kring Dacke för att trotsa påbudet.

Så mycket är sant, som att han stod i spetsen för ett allmogeuppror som vi varken förr eller senare haft motsvarighet till i vårt land. Den moderna staten, en riksenhet av ny modell, som Gustav Vasa höll på att bygga upp delvis med hjälp av utländska rådgivare (t.ex. den tyske äventyraren Konrad von Pyhy), rubbades i sina grundvalar. Kungen fick sätta till allt motstånd för att inte hans verk skulle falla sönder. Bakom den politiska kampen låg naturligtvis andra orsaker. Det nya regementet gick hårt fram över alla svenska bygder, inte minst där det fanns en självständig bondedemokrati. Sockenkyrkorna fick släppa till av sin egendom, skatterna drevs in med hård hand och den fria äganderätten till de stora allmänningarna och obygderna som fanns i Småland hotades av kronan. Jag tror att det också spelade in, att många av dessa utmarker då redan hade hävd som järnbygder och att en omfattande kolonisation under medeltiden hade skett. Man var rädd att dessa marker skulle gå förlorade till kronan. Även "krångel" med den viktiga gränshandeln kan ha spelat in. Det var centralbyråkraten Gustav Vasa man gick till storms emot.

Missnöjet kanaliserades i en resning under ledning av en man som inte bara hade de egenskaper som tarvas av en upprorsledare utan som också fick stöd av Gustav Vasas gamla fiender i Tyskland. Han förenade sig med allehanda lösa band i gränsskogarna kring Blekinge och Halland och fick så småningom med sig även stadgade bönder och till och med en del präster. Till en början hade Dacke stora framgångar både i Småland och södra Östergötland. Han samlade allmogen till ting och inledde en hänsynslös kamp mot fogdar och adelsmän. När bönderna belägrade Kalmar och Stegeborg, såg det ett tag illa ut för kungen. Han måste mobilisera tre härar mot Dacke. När bondehären besegrades vid Åsunden var det slut med motståndet. Dacke blev svårt sårad och fördes till Kalmar, där han avrättades med stegel och hjul.

Det är inte tu tal om att Dacke var en skicklig upprorsman. I vissa stycken erinrar han om tyrolarnas frihetshjälte Andreas Hofer. Att hans minne lever, om än bedömningarna skiftar, visar de sägner som i alla tider cirkulerat kring hans minne. Ett ännu bevarat minnesmärke är Loftboden från Uranäs i Älghults socken, (boden står nu på Kulturen i Lund).

Traditionen berättar att Dacke bodde på loftet under upproret. Ingenting i bodens byggnadssätt talar emot att den funnits redan 1543, det år när upproret kulminerade. Det är också fastslaget att Dacke vid midsommartiden nämnda år höll till just i Älghult, där han hade många anhängare bland befolkningen. Man vet att både länsman och kyrkoherden i socknen avrättades på grund av sitt stöd åt upprorsledaren.

Ett annat minne från Dackefejden är biskopsgården Kronoberg. Här residerade Dacke julen 1542. Här mottog han sändebud från tyska furstar, bakom vilka stod själve kejsaren Karl V. När Dacke var besegrad byggdes gården ut till en stark borg. Ett strategiskt värn både mot småländska upprorsmän och hotande danskar.

Ett porträtt av Nils Dacke så som han levde i folkfantasin. Nils Mandelgren utförde denna kopia av en numera försvunnen målning i Kinda.

Den kände folklivsskildraren Nils Mandelgren hittade på 1840-talet en bild av Dacke på en stugvägg i Kinda. Texten till denna märkliga bild, en av de få vi känner, visar hur friskt Nils Dackes minne levde ännu 300 år efter hans bortgång:

> Nils Dacke afmålad på ett par bräder i förstugan i en mindre byggnad vid Hofby. Målningen är gammal och af ålder skadad. Många berättelser finns här om Nils Dacke, att han vistades här i orten och att han varit gömder här, då han var sårad i låret af en pil.

Dianas öga i Småland

Förr gick landsvägen – det var före bilarnas tid – från Blekinge längs Mie å, öster om den gåtfulla sjön Mien. Jag stannade ofta vid någon av gårdarna där för att beundra de hamlade askalléerna, vad som fanns kvar av gammal fin bondekultur och framför allt utsikten över den runda "kratersjön" med sin lilla ö. Det sades allmänt, och man hade läst om det, att detta var en kratersjö som en gång hade bildats vid ett vulkanutbrott. Stränderna stupar så brant mot djupet som man kan vänta i en explosionskrater. Sjön är också cirkelrund och som geologisk företeelse främmande för Småland.

Men vad säger geologerna? Man kan fråga en så lärd forskare som Assar Hadding. Han är helt förtrollad av den hemlighetsfulla sjön. Han har lyssnat till folkfantasins berättelser och han anser att Mien är en gåtfull sjö. Och även om man inte skulle lösa dess gåta, menar han, har sjön kvar sin tjuskraft – "i det småländska landskapet finnes ej dess like".

Och vad säger andra lärde om den mystiska vulkansjön? Alldeles utan anledning bär den nog inte namnet kratersjö. Redan 1886 påträffade statsgeologen N. O. Holst på södra stranden och på ön Ramsö block av en vulkanisk bergart, ryolit, vars närmaste fyndorter är Tjeckoslovakien och Ungern. Det var det som gav upphovet till den geologiska diskussionen och många tror ännu idag att vi här har en gammal krater med minnen från ett vulkanutbrott under tertiertiden. Folkfantasin ger också näring åt detta antagande. Men frågetecknen kvarstår och skall Miens gåta lösas, måste man göra omfattande forskningar rörande den främmande bergarten, borra på Ramsö och vid den södra stranden.

Till vilket resultat forskningen än kommer kan alla enas om att här ligger en av det sjörika Smålands fagraste sjöar, en motsvarighet till den italienska Nemisjön – "Dianas öga".

Brukspatron Peter Rudebeck på Huseby, som levde under 1600-talets fornstora dar, återfann i sin hembygd nästan alla Eddans märkliga namn. Mien spelade här en stor roll. Det blev Mines sjö eller Mimers brunn. Namnet Miens härledning är naturligtvis en helt annan än vad Rudebeck trodde. Språkforskarna idag härleder det från det fornsvenska midh (er), som betyder i mitten befintlig – alltså mitt emellan det småländska höglandet och det blekingska kustlandet.

Sjön Mien har ännu idag en mystisk prägel. Den betraktas som en kratersjö och det berättas många sägner om den. Foto Tomas Nihlén.

Enligt folktron var Mien bottenlös. Detsamma har sagts om många sägenomsusade sjöar, Fryken, Vättern och andra. Lodningssiffror från modern tid visar ett djup av 20–25 meter och det är ju inte föraktligt. Folktron har mer att berätta: att det mitt ute i sjön finns ett "svalg" som leder ner i jordens avgrund och sedan direkt ut i havet. Detta gör att isen inte lägger sig så lätt och vintertransporterna fick ofta söka sig längs stränderna.

De mest egenartade historier återberättas ännu från Miens stränder, t.ex. den om bonden som en gång i tiden (det måste ha varit för nära fyra hundra år sedan) körde med ett halmlass över sjön. Han kände inte till virvlarna ute i sjön utan körde ner och försvann med oxar och allt. Frampå våren när alla hade givit upp hoppet, hittades mannen med lass och oxar på ett skär ute i havet mellan Mörrum och Elleholm – helskinnade berättas det!

En tillgång för landskapet vid Mien, särskilt den östra delen, är de bestånd av gamla praktfulla hamlade (beskurna) askar, som ännu står kvar. De är väl dömda att försvinna en gång – om inte lövtäkten åter blir en tvingande nödvändighet – men än så länge utgör de en fantastisk syn, ett inslag i detta lövrika landskap. Jag har ett särskilt starkt minne av dem från den tid då "stora landsvägen" gick här förbi och man satt och längtade efter att få se Miens yta blänka till, kransad av askrader och röda gårdar.

Nu är själva landskapet ett slags fornminne, som försvinner och inte kan ersättas...

Runt gårdarna vid sjön Mien står ännu rader av hamlade askar. Minnen från den tid då lövtäkten var vanlig i Småland. Foto Tomas Nihlén.

Kalmar län

Skomakare och speleman

Det fanns under 1800-talet två smålänningar som blev berömda inom samma fält. De var båda folklivsskildrare.

Det var diplomaten och författaren från Sunnanviks herrgård i Värend, Gunnar Hyltén-Cavallius, och skomakaren Jonas Stolts från torpet Stenkullen i Högsby.

Den ene, Gunnar Hyltén-Cavallius, född 1818, tillhörde en rik och lärd släkt och hade höga befattningar (direktör för Kungliga teatern, diplomat i Brasilien). Fjärran från sin värendska hembygd satt han och skrev, bearbetade anteckningar, öste ur minnet. Resultatet blev det stora verket Wärend och wirdarne (1863–68), en brett lagd folklivsskildring som vi knappast har make till i vårt land.

Den andre, Jonas Stolts, var en enkel byskomakare född 1812 i torpet Stenkullen under Basebo i Högsby socken, beläget i skogslandet väster om Oskarshamn. Han hade aldrig gått i skola, lärde sig själv läsa och skriva, och levde hela sitt liv i hembygden. Men han hade en vaken blick för allt som hände, för människornas liv och tankar och naturens växlingar. Han skulle som Karlfeldt kunnat säga om sitt liv: "ringa och vanligt i öden, sorger och tidsfördriv".

En sak skilde honom från de flesta i denna socken av torpare och bönder: hans lidelse att spela och *skriva*. År efter år – vid skomakarbänken när han hade en ledig stund, vid köksbordet när dagen var slut – tecknade han ner sina minnen, vad de gamla hade berättat från föregående sekel

(1700-talet), vad han själv hade upplevt främst under 1820- och 30-talen. Lugnt och sakligt, utan åthävor, berättade han om allt han sett och upplevt av livet i byn, på åker och äng, i skog och på myr, i kyrkan och på marknader. Han ger oss en bild av hur en småländsk by såg ut och levde för 150–200 år sedan, innan industrialismen skapat ett nytt samhälle. I all sin enkelhet griper skildringen tag i en. Det Stolts plitar ner blir till tidlös konst.

Detta hade den fattige skomakaren aldrig kunna drömma om; han skrev av en slags inre drift. Ofta riktar han sig till sina barn ("min pojk" eller "du yngling") som han genom det skrivna ville ge ett arv – det enda han kunde ge dem.

En av hans utgivare, Manne Hofrén, skriver om hans skildring av vägen från skogstorpet till kyrkan: "Man känner fläkten av något stort i det lilla". Det gäller nästan allt i hans berättelser om "den gamla goda tiden".

Byskomakaren Jonas Stolts skrev under 1800-talet ner sina minnen som blivit en guldgruva för nutidens bygdeforskare.

Inte något av det Stolts skrev publicerades medan han levde. Ändå blev han på ett sätt uppmärksammad. En amanuens från Nordiska museet, Wistrand, kom genom prosten Löfgrens förmedling i kontakt med Stolts; det var mot slutet av hans levnad. Wistrand såg igenom anteckningarna, förstod deras värde och frågade vad de skulle kosta. Då svarade Stolts:
– Det där är väl ingenting värt!
Då kom Wistrand med ett lockande anbud:
– Ni skall få resa till Stockholm och hem igen om Ni vill följa med upp till Nordiska museet.
Stolts svarade:
– Vad skulle jag där att göra!
Till sist fick han 22 kronor för anteckningarna! De finns ännu idag hos Nordiska museet och anses som en dyrgrip i museets rika samlingar. Här vill jag berätta om Jonas.

Jödde på Stenkullen

Det var en gång en fattig torparpojk som kallades Jödde på Stenkullen. Hans yttre liv skilde sig inte från tusen andra småländska pojkars, ett liv i enkelhet, arbete och gudsfruktan. Fadern hette Nils Jonsson – större delen av hans liv inföll under 1700-talet – och även hans liv var enkelt och vanligt utom i ett avseende: han var vida berömd för sin sångröst och kallades "Klockarenissen". Han var religiös och sträng i sin uppfostran. Att sonen på egen hand lärde sig läsa hade han ingenting emot – Jonas läste obehindrat när han var sju år – men när det gällde att skriva gick det sämre: "Jon var trög". Men så fick han sex ark papper av en sjöartillerist. Så ofta han kunde sprang han till denne och fick föreskrift. Till sist kunde han den svåra skrivkonsten och började – sakligt, omständligt och varmhjärtat – att skriva och därmed höll han på hela livet ut.

Fiol ville inte fadern att han skulle skaffa – det var ett syndens instrument. Men musiken låg djupt i pojkens sinne. När han var liten hörde han en pojke blåsa sälgpipa. Han blev så gripen att han aldrig kunde glömma det. Snart lärde han sig själv blåsa både på sälgpipa och näver och sjunga. Men bäst blev han i fiolspel, som på 1820-talet övades i nästan varje by. Först när fadern gick bort "tog jag mig självsvåldigt" och köpte 1828 en gammal fiol för sju daler, berättar Jonas. Det märkvärdiga var att han kunde spela på en gång och utan minsta övning. Så låg honom musiken i blodet, som om den var något medfött. Och så blev han känd och uppburen spelman, eftertraktad på lekstugor och bröllop. Han kunde stämma fiolen så att den fick en mäktig och gripande ton. Ingen kunde locka fram sådana toner ur fiolen som Jonas. Ofta kunde man höra honom sitta ensam och spela på ett berg eller någon undangömd plats. Det var då han fick sin inspiration.

Vid tjugoett års ålder blev han soldat i Hultsfred, och då fick han också namnet Stolts. Sedan slog han sig ner på sitt torp vid Hanåsa och där levde han hela sitt liv. Han gick bort 1883. Han hade tidigt kommit i skomakarlära hos mäster Fyhr och sedan gick han enligt tidens sed omkring i gårdarna och tillverkade och lagade skor. Hultsfred blev för honom en glugg ut i stora världen och genom sitt ambulerande arbete, som berörde praktiskt taget alla gårdar, kom han i kontakt med bygdens folk.

Alla som kände honom berättade att det var en redbar man, mycket plikttrogen och skicklig i sitt yrke. Han visste vad varje familj behövde och kom självmant när tiden var inne. På gamla dar fick han samvetskval. Fiolen blev för honom som för fadern ett syndens instrument och han brände den. Men klarinetten gjorde han sig inte av med. Ända till sin död spelade han på detta instrument.

Stolts var bland mycket annat intresserad av väder och väderiakttagelser. En gång när man bad honom skriva i en bibel, antecknade han följande: "Idag vid elvatiden är halvklar himmel, stark blåst och luen flycktar som om sommaren. Femton januari 1873. Jonas Stolts." Detta var för honom heliga ting som mycket väl kunde skrivas in i en bibel. Det är nästan självklart att han också var intresserad av naturen. Det karga torpet odlade han upp, planterade träd och odlade växter. En gång mot slutet av sitt liv tog han ett löfte av en vän: "Du skall plantera några träd årligen, sak samma av vad slag, ty det blir ont om träd till sist".

142

Hela bygden med gårdar, torp, backstugor, arbetsliv, människor, händelser beskriver han på samma lugna, fina, genomtänkta sätt. Bara ett plock ur högen: torpet Stockebäcken hade urgamla hus. Där föddes i uslaste fattigdom tre bröder. Alla tre blev herrar, en av dem prosten Ståckström.

Kyrkan beskrives med vördnad. 1820 stod den putsad "likasom i ungdomlig skönhet".

Det fanns tre fattigstugor. Innevånarna levde av socknen men gick själva omkring och samlade till sitt uppehälle.

Många roliga minnesbilder skymtar förbi. Bland annat berättar han om kyrkoherden J. Åhman, som hade hårpiska på ryggen och red till kyrkan

Psalmsång vid begravning, enligt den gamla seden "medan jorden kastas på liket". Målning från 1782 av bygdekonstnären K. H. Ehrenberg i Skirö, nu i Nordiska museet.

143

på sin häst. Det är ett minne som går tillbaks till 1700-talet och Stolts hade hört det berättas. I kyrkan gick kyrkvaktmästaren omkring med sitt spanskrör och stötte i govet eller gav en direkt stöt åt den som hade somnat. Det var plikt för soldaterna att gå i kyrkan. Alla var lika klädda. De stod i parad utmed kyrkväggen med mustasch och skägg under läderhalsduken. Det var strama gossar med frackmundering och skärp.

Ännu på 1820-talet var kommunikationerna mellan byar och bygder ganska besvärliga. Man hade börjat bryta vagnvägar men ridtiden var inte förbi. Det var ofta mycket bekvämt att sätta sig upp på hästen för att komma fort fram.

Tiggare fanns det gott om. De hade det svårt särskilt under nödåren, 1826–27 var speciellt svåra. Då fick man ge sig ut med sina kälkar och sälja vad man kunde. Vintern var så sträng att man kunde fara på isen över till Öland. 1827 var kölden så hård att man inte kunde gå i kyrkan på juldagen.

Brännvin hörde till vardagen, och i Stolts ungdom brändes det friskt i gårdarna. Det var för övrigt ett ganska slaskigt göra, när den kokheta dräggen uppfyllde rummet med os och imma. Han beskriver det med stor avsmak. Under goda år brändes det mycket "och allt var lust och nöje", men när skörden var knapp då måste man bränna mindre. Kreaturen skulle ju också ha mat. Goda hushållare hade brännvin året om och kunde sälja till grannar som hade gjort slut på sitt. Även prästerna drev sina brännerier och sålde i likhet med andra herrar. På auktionerna spelade tydligen brännvinet en stor roll. Ett ordentligt krogrum anordnades med disk och allt. Och alltid kom ett par gummor med sin kutting och delade ut innehållet i jungfru eller kvarter. Då hörde slagsmål till ordningen. Från predikstolen brukade man läsa upp priskuranten för dagen vid prisfall eller stigning och då var alltid brännvinet med.

Varg fanns det ganska gott om i Stolts barndom. Mycket ungboskap hittades ihjälriven i skogen. En gång såg han själv åtta vargar, men de hade inte ofredat honom. Historierna är många om vargarnas framfart. En solklar dag i mars kom fyra vargar och högg en galt vid stalldyngan och släpade bort den. Man anställde vargskall och drev in vargen i stora nät.

144

När vargar dök upp, uppbådades folk med budkavle eller med läsning från predikstolen. När man släppte ut kreaturen på våren var alltid vallhjonen med, utrustade med sina bockhorn som hördes långt över berg och backar. Här som på flera andra ställen illustrerar Stolts melodier och signaler från bockhorn med noter som han själv tecknat ner. Bockhornsmusiken var i vanliga fall inte så angenäm, men när man hörde den på våren gav den samma glada känslor som när man första gången hör vårfåglarna.

Det var gott om orre i markerna och en skicklig jägare kunde knäppa sig ett dussin tuppar. Bland alla fåglar var härfågeln den märkligaste. När den lät höra sitt läte trodde man att det skulle komma ofrid eller svår olycka. Blåskrikan* tyckte Stolts särskilt mycket om "ty hon var så grann". De bodde i en ek, men när den togs bort försvann blåkråkorna. Ännu 1874 kunde han se dem men inte därefter.

Redan under Stolts livstid gavs förebud om den nya tiden. Man talade ofta om "den gamla goda tiden". Det gällde också fåglarna av vilka många som synts och hörts förr försvann eller blev sällsynta. Stolts gör den vemodiga kommentaren: "Nu när allt det vilda är bortrensat, och skogen icke har mer att bjuda på, så vore väl tiden inne för kaninavel och hönsgårdar"!

Stolts gör ett slags bokslut. När han jämför det gamla med det som "nu är", kan han inte upptäcka någonting som är kvar från hans barndomstid – "allt är förvandlat", säger han. Det är tydligen på gamla dar han skriver ner några vemodiga reflexioner om det unga släktet. Han konstaterar att han nu lever i ett folksläkte med nya klädedräkter, nya hus, nya seder, nya talesätt. Och så konstaterar han med särskilt allvar en sak som har gått honom djupt till sinnes: den gammalmodiga sången av människoröster, tidigt och sent och från alla håll har tystnat liksom ljudet från de bullrande trösklogarna.

---

* Blåkråkan, blåskrikan, en av våra mest sällsynta fåglar. Man räknar med att numera endast ett tiotal par häckar på Fårö och i nordöstra Skåne. De minskade starkt från mitten av 1800-talet och försvann som häckfågel från de gamla lokalerna. Nu ser man den ibland som tillfällig gäst.

Även det vilda har dött ut. De grova och ihåliga vargtjuten har tystnat. Likaså låter räven, som förgäves försökte skälla som en hund, sällan höra sig. Och så avslutar han sin veklagan med följande ord:

> Likaså med fåglarna av alla slag, som uppfyllde luften med sina läten, likaså med bockhornet och märeskarran. Det enda, som intager samma plats, är den organlösa metallen i alla de bullrande bjällrorna, den tid de begagnas.

Ett nästan hisnande perspektiv ger oss Stolts när han berättar om de gamla som ännu fanns kvar.

De gamla som hade reda på månskärorna, kunde nämna dem vid deras namn och kände deras gång så noga att de därav kunde räkna ut tiden. De tog inte ofta fel. Detta var naturligtvis ett arv från gamla tider, när det inte fanns några klockor. Men redan på 1820-talet fanns väggklockor i varje hus "och stjärnkonsten dog bort". Det var också många som hade reda på stjärnorna om natten och på samma sätt kände till solens gång om dagen. De hade nämligen solmärken i fönstren. De rika hade solvisare av sten.På marknaderna fanns det gott om tiggare. Det satt ofta en rad blinda gubbar med var sina obehagliga sjungande läten. Vart man vände sig, berättar Stolts, hörde man gnällande röster av trasiga tiggare och om söndagarna stod ofta en blind gubbe vid utgången ur kyrkan. Det fanns också skyddslösa barn som saknade föräldrar eller som hade blivit övergivna. De fick klara sig bäst de kunde. De höll ofta till i drängstugor och brännerier, men det hände att de blev bortdrivna av gårdens ägare. En bondmora berättade att hon en dag hade haft besök av 17 tiggare och en annan omtalade att hon hade så bråttom vid spinnrocken att hon la kakan och kniven bredvid sig för att spara tid, och på en dag strök kakan med.

Ett par veckor före jul hade gubbar och käringar flaskor med sig för att hälla i supar som de sen gömde till jul. En gång när Läse-Nils i Valåkra var ute på tiggarfärd och kom in till Sven Nilsson i Basebo, tog han upp flaskan när det bjöds en sup. Men Sven Nilsson sa bara: "Sup ur din sup, Nisse, jag skall fylla flaskan"! Det var en sådan givmildhet som stannade länge i minnet.

Mycket annat finns att läsa och begrunda. Tattarna var fruktade. De var olika alla andra och gjorde bygden osäker. Det fanns också berättelser från ännu äldre tider, mustiga historier om spöken, gastar, skogsrår, tomtegubbar och troll. De flesta av historierna var från mormorsmors eller farfarsfars tid. De som var mest utsatta var fiskare, skyttar och tjärbrännare och många som då ännu levde hade varit i umgänge med dessa sällsamma sagofigurer.

Jonas upptecknade på vers vad de gamla berättade om kalas och mastiga måltider, om bröllop och marknader, om begravningar och uråldriga sedvänjor.

Själv hoppas jag att den enkle spelmannen och skomakaren, som iakttog och skrev under hela sitt liv, en gång skall bli upptäckt på allvar. Då kommer han att räknas som en av Smålands stora skildrare. Det är också min

Marknadsresa, bonadsmålning från Västbo härad.

önskan att människor när de ser ut över sin bygd, skall tänka om honom som folk gjorde i Thomas Hardys dikt "Efteråt".
"Han var en man som gav akt på sådana ting".

Den blomstertid nu kommer

För de flesta bönder i äldre tider var ängen och hagen värdefullare än åkern. Åkerbruk i egentlig mening (mer eller mindre organiserad stordrift) har vi först under 1700-talet och inte förrän på 1800-talet (med laga skifte och nya maskiner) fick vi ett rationellt jordbruk. Oxarna och "allt smör i Småland" fick vika för plogar och spannmålsbönder.

Vårt land var ett boskapsland från början. Skogen låg nära inpå utom i de stora slättlanden (Skåne, Östergötland), överallt låg "halvåkerbygder". Låt oss se på en vanlig smålandsby med åtta gårdar. Där har vi en normalgård på tre tunnland, varav bara ett tunnland är åker; men hagmarken uppgår till inte mindre än femtio tunnland (allt detta före laga skiftet). Man förstår att kreaturen hade betydligt större utrymme att svänga sig på än den plöjande och sående bonden.

Ängen var bondens ögonsten. Var det dåligt gräsbeväxt räckte inte vinterfodret även om man drygade ut det med trädens och buskarnas löv. Ängen var ofta blomrik, man älskade den också för dess skönhet och "lust"; "Den blomstertid nu kommer med lust och fägring stor" (Kolmodin). "Vad den är vacker liden" (Nials saga).

Men den rika blomningen stod också i nyttans tjänst:höet blev bättre om det var rikt på blad; "bladhö är bättre än gräshö".

En lustgård var och förblev ängen till dess de sådda vallarna trädde i nyttans tjänst och hagarna gick samma väg, blev "kulturbeten". Den vägen har odlingen länge gått och människan har själv röjt den enligt den gamla regeln: för att kunna överleva, för att kunna leva gott, för att kunna leva i överflöd.

Det är vägen, stakad från stenåldern till maskinåldern. Snart har vi kanske nått slutpunkten och får börja om – den branta stigen via ängsbruk och hackslogar åter till stenåldern. Bara en fråga: Kommer skönheten åter, kommer den att överleva?

På ängarna slog man gräset, i hagarna betade djuren. Hagen utgjorde ofta hälften av en gårds areal. En småländsk by för två hundra år sedan kunde omfatta hagmarker på mer än 840 hektar och skogen endast 330 hektar. Detta ljusa öppna landskap med koskällornas melodi är nu ett minne blott. Så här kunde stämningen tolkas: "Alla var på väg mot byn, där de sedan ställde sig i rätt vallgata och väntade på att ladugårdsdörren skulle öppnas. Mitt på dagen var det tyst, då låg korna och idisslade. Man kunde höra människor sjunga, skratta eller ropa. Till och med samtal kunde höras, om inte en vagn samtidigt gnisslade fram på den ojämna bygatan...".

Vilhelm Moberg – den evige bonden

I boken "De knutna händerna" berättar Vilhelm Moberg om Adolf i Ulvaskog, den evige bonden som inte förstår barnen när de vill ut i världen; han blir en ensam och tragisk figur och samtidigt något av en hjälte. Det är i den boken Moberg tar upp det stora problemet stad – landsbygd, en konflikt som präglar många av hans böcker.

Flykt hemifrån – återkomst till ursprungsmiljön, det är ett ständigt återkommande motiv. Hans bondeskildringar är ofta tunga av jord och arbete, hans längtan hem fylld av ljusa minnen och önskedrömmar. I hela sitt liv blir Moberg den evige bonden, i sin kärlek till det enkla ursprunget, i sitt rättframma rättspatos, i sin obändiga tro på Småland och smålänningarna var de än befinner sig. Han härstammar från flera generationer soldater och bönder. Deras värld har han som ingen annan skildrat i svensk litteratur, med mustigt språk och med det självupplevdas hela kraft.

Skall man förstå Vilhelm Moberg bör man ha besökt hans födelseby Moshultamåla i Algutsboda socken, skogrik, med små åkerlappar och vida utsikter över skogsåsarna. Där föddes Vilhelm Moberg 20 augusti 1898 i ett enkelt soldattorp, vars läge nu markeras av en minnessten. Här växte han upp och här levde i torp och gårdar alla de människor, släkte efter släkte, som Moberg levandegjort i sina romaner. I sin sista bok skriver han om ett återbesök i hembygden:

> Jag saknade de som besått och avbärgat åkrarna, de som fällt skogarna, röjt vägarna, byggt slotten, kungsgårdarna, fästningarna, borgarna, städerna, stugorna. Jag såg bara glimtar av dem som betalt skatterna, som avlönat alla präster, fogdar och ämbetsmän. Jag saknade nummerkarlarna i krigshärarna, som i främmande länder stupat för fosterlandet, deras hustrur som väntade därhemma.

Här är den klangbotten han spelade på i hela sin diktning. "Detta är mitt folk, jag äger dem" skrev han en gång.

Här är inte platsen att räkna upp hans böcker från "Raskens" till "Min svenska historia", det vore en överflödig handling. Jag vill endast än en gång lyfta upp i ljuset den bok som för mig och många står som den största: "Rid i natt!" Frihetsromanen som skrevs i ofredens år, motståndsromanen som lät Moberg delta i kampen mot barbariets frammarsch under en tid då inte allt fick nämnas vid sitt rätta namn. Det blev en gigantisk "nyckelroman", en frihetssång i släkt med biskop Thomas':

> Frihet är det bästa ting
> som sökas kan all världen kring...

Med detta vill jag ingalunda ha sagt att hans stora emigrationsepos trilogien "Utvandrarna", "Invandrarna" och "Nybyggarna" skall ställas i skuggan. Det har ställt honom högt bland våra episka författare; många räknar det som hans huvudarbete, uppbyggt på ingående kännedom om bönderna därhemma och deras kamp för sina nya hem i USA. Ingen som vill tränga in i den stora svenska emigrationsepoken kan undgå att läsa den. Dess människoskildring, dramatiska spänning och fina psykologiska analys saknar motstycke i svensk prosa av idag.

Under kriget bodde vi i en liten fyrlängad gård i östra Skåne. Den låg mitt emellan bokskogen och havet i ett av de skönaste landskap som funnits i detta land.

Det var höst och hedblomstren lyste ännu gula på heden. På kvällarna

150

såg vi konvojljusen ute på Hanöbukten. Det var stora svarta båtar som gick höga och lätta mot norr, och kom åter mot söder tungt lastade med malm, som skulle hjälpa tyskarna i det orättfärdiga kriget.

Då och då kom soldater ner till stranden och byggde bunkrar, det förekom en och annan skjutövning. Den allvarligaste påminnelsen om det stora kriget fick vi när hotet kom – det som senare sattes i verket – att förvandla detta evigt sköna landskap till ett skjutfält för pansarvapnet. Vi såg redan för vår inre syn larvfötterna plöja upp sår i marken, vi anade att byn skulle förintas, gårdar brinna. Det låg ett dovt hot över hela nejden. Tidningarna berättade (någon radio hade vi inte) om våldsdåden i söder – förintelseläger, gaskammare, grymma fogdar i ockuperade land. Kriget låg oss så nära.

Ändå skapade vi en fredlig oas i vår halmtäckta fyrkant. Om kvällarna samlades vi vid brasan och medan höstvinden ven kring knutarna och getterna bräkte i stallet läste vi högt. De tre barnen i 10–14 årsåldern lyssnade, söp begärligt in vad de fick höra om Trojanska kriget, Kivis Sju bröder, Ewalds sagor.

Den största boken under dessa oförgätliga kvällar var och förblev Vilhelm Mobergs "Rid i natt!" Den underhöll oss med sin spänning, den skakade oss med sin berättelse om våld och motstånd. Visserligen handlade det om ett bondeuppror för länge sen men vi förstod alla att det egentligen gällde vår egen tid och våldet från söder, om nödvändigheten att bjuda motstånd – att låta budkavlen gå. Med andlös spänning följde vi böndernas kamp mot herrarna, trots att de själva var i underläge. Och omkvädena, det trotsiga språket är för all tid inristade i våra hjärtan: "Bötterna slår, bönderna går. Rid i natt, rid i natt!"

Boken kändes så aktuell i vårt hus på heden, som en uppmaning att aldrig ge vika för våldet. "Rid i natt!" var en motståndsroman och den kan aldrig förlora sin aktualitet. Den bjuder ännu till motstånd, hindrar oss att vara tysta och overksamma, eggar oss att föra budkavlen vidare ...

När jag nyss frågade barnen som nu är vuxna hur de nu ser på våra braskvällar blev svaret:

– Vi kan aldrig glömma "Rid i natt!" med dess kampanda och rättspatos!

Vår by är för länge sen riven av militären, inte ens grundstenarna finns kvar. Vid källorna står grå cementfort. Heden har djupa sår. Men "Rid i natt!" lever och den oförgätlige Vilhelm Moberg bor i våra hjärtan. Tack vare den största av hans böcker.

Brömsebro – ett spex vid gränsen

Smålands historia är fylld av strider – de flesta vid gränserna – och åtföljande freder. Från historieboken i skolan har några namn kanske fastnat i minnet, t.ex. freden i Knäred 1613, som var avslutningen på många års blodiga och grymma härjningar över gränserna i söder och sydöst. Det var de åren danskarna föll in i Värend och brände allt i sin väg: Växjö med sin domkyrka, Kronobergs slott, byar och gårdar långt upp kring Åsnen och Helgasjön. Det var också då som svenskarna under den nye kungen, Gustav II Adolf, tog hämnd genom att falla in i Skåne och skövla ett tjugotal socknar, varjämte staden Vä, Kristianstads föregångare, förstördes helt. "Trupperna fingo grassera, skövla och bränna efter egen vilja", skrev kungen till hertig Johan.

Det var på hemvägen från detta härjningståg som den svenska hären råkade i ett bakhåll vid Vittsjö och kungen höll på att drunkna med sin häst på Pickelsjöns svaga isar.

Även norra Småland liksom Öland och Västergötland fick påhälsning av danske Kristians trupper. Det var efter dessa år av vilda gränsfejder som freden i Knäred satte punkt. Den fredens hårdaste villkor var Älvsborgs lösen, en miljon riksdaler.

Som allom känt är underskrev danskarna i Brömsebro den hårda fred där Sverige erhöll Jämtland och Härjedalen, Gotland, Ösel, Halland på 30 år och tullfrihet i Öresund. Vad hände då i Brömsebro?

Vi kommer fram till Svenska och Danska Bröms, som är belägna på var sin sida om den gamla riksgränsen (nu gräns mellan Kalmar och Blekinge län). Ute i Brömsebäcken ligger den holme (med en sentida minnessten), där freden slöts och där förhandlingar förts vid skilda tillfällen ända sedan

152

medeltiden. Västgötalagen berättar att en gränssten fanns vid Bröms redan 1050. Vid kusten skymtar ännu rester av det medeltida fästet Brömsehus.

1541 vet man att Gustav Vasa på ett fredsmöte här mötte danskarnas Kristian III. Då ville svenskarna och deras kung hävda sig – det skedde genom att man uppträdde i praktfulla dräkter och med hovmässiga manér. Man sökte imponera på danskarna med deras mer renässansbetonade seder.

1645 var det dags för nya fredsförhanlingar. Den svenska delegationen hade då kvarter i den närbelägna Söderåkra prästgård. Danskarna bodde i staden Kristianopel. Vid själva Brömsebro hade man sina gemensamma möten på en holme i Brömsebäcken. Det fanns inte så stort utrymme på holmen men delegaterna manövrerade under den mest utstuderade diplomatiska etikett. Var och en höll på sin rätt och sin värdighet, inga eftergifter i onödan. Bit för bit plockades de många gränsproblemen sönder. Man kan förmoda att den erfarne rikskanslern Axel Oxenstierna, som ledde de svenske, gjorde vägande inlägg och att den franske medlaren jämkade samman de stridande parterna med stor älskvärdhet. Ingen skulle känna sig kränkt, ingen part skulle vara förmer än den andre. Och ändå måste den danske rikshovmästaren ha injagat viss respekt genom sitt uppträdande. Han demonstrerade sin makt och myndighet genom att medföra 60 tjänare, lika många hästar och därtill en tross som krävde hundra vagnar. Vilket liv vid den eljest tysta gränsen!

På den svenska sidan restes ett tält för de svenska delegaterna och på andra sidan ett för de danska. Uppe vid gränsstenen på själva holmen tronade de franska och nederländska medlarna – i upphöjt majestät, så neutralt placerade som det var möjligt. Nu skulle delegaterna samlas ute på holmen. Trumpeterna smattrade och förhandlarna kom ut ur sina tält och gick med korta avmätta steg över sina broar och möttes framför den franske ambassadören. Det var viktigt att man höll samma hastighet och tog lika långa steg, ty det ansågs synnerligen opassande om den ena delegationen kom till mötesplatsen någon minut före den andra. De möttes vid den gamla gränsstenen och blottade sina huvuden. Ledarna för de svenska och danska delegationerna räckte varandra handen och så gjorde sedan övriga underhandlare. Så utväxlades tal. Oxenstierna önskade att en snar fred skulle komma till stånd och rikshovmästaren önskade detsamma. Alla närvarande på holmen tog varandra på nytt i handen, hälsade sedan på de höga medlarna och gick åter till sina tält på samma avmätta, högtidliga sätt som förut.

Detta var inledningen till de viktiga förhandlingarna, varefter särskilda medlare utsågs att fara fram och åter mellan de båda parterna. Det var alltså på detta stadium inga muntliga förhandlingar. Man sände budskap och gav skriftliga orienteringar. Det var tydligen en svår uppgift. Sändebuden fick färdas åtskilliga gånger mellan kvarteren och holmen. Hur trögt föret var i portgången visar den danska fordran varmed man inledde förhandlingarna: svenskarna skulle återlämna allt som de erövrat och dessutom betala krigskostnaderna!

Det var inte så underligt att det tog hela fem månader innan man på allvar kunde träffas igen och överlägga utan medlare. Det behövdes ytterligare tio sammankomster innan man kom så långt att man kunde sätta upp ett fredsförslag. Detta skulle sedan stötas och blötas, åsikter föras fram och jämkas, småtvister bryggas över. Den 13 augusti hade man kommit så långt att fredstraktaten kunde utväxlas. Förhandlarna tog plats i sina tält på var sin sida om gränsen. Därefter red sen franske medlaren först med ett exemplar till danskarna och sedan med ett exemplar till svenskarna. Därefter gjordes mindre justeringar och exemplaren undertecknades i tälten.

Nu skulle den högtidliga utväxlingen ske. Det franska sändebudet tog återigen plats på den lilla holmen och den danske sekreteraren och den svenske överlämnade från var sitt håll sina traktat till den franske delegaten. Denne tog den svenska traktaten i högra handen och flyttade den över i den vänstra. Därfter tog han den danska i högra handen, satte den korsvis över den vänstra och gav det danska exemplaret till den svenske sekreteraren och det svenska exemplaret till den danske!

När dessa invecklade ceremonier hade undanstökats blåstes fanfarer på båda sidor. Delegaterna kom fram ur sina tält och man tågade i procession till franska sändebudet. Tal utväxlades mellan Axel Oxenstierna och den danske rikshovmästaren, innan man återvände till sina tält.

De mäktiga herrarnas möte på holmen i Brömsebäck, de praktfulla dräkterna, den väldiga trossen av hästar och vagnar, trumpeternas smattrande, allt detta väckte givetvis stor uppmärksamhet. Hit samlades så småningom bönder från både Småland och Blekinge, och den dag freden slöts var det dans och sång och allmän förbrödring på båda sidor den ömtåliga gränsen.

Det ansågs allmänt att Sverige hade fått en förmånlig fred och stärkt sin ställning i Norden. En dansk från vår egen tid, som inte brukar uttrycka sig så diplomatiskt, sa en gång om Brömsebrofreden: "Nu hade det inträffat som gjorde Sverige till storebror i Norden."

Ja så kan man också tolka det hela. I varje fall fick Axel Oxenstierna ett lysande mottagande när han gjorde sitt intåg i Stockholm. Drottning Kristina, som nyligen hade tillträtt regeringen, utnämnde honom i närvaro av riksråden till greve av Södra Möre i Kalmar län. Det var troligen den viljestarke rikskanslern som föreskrev fredsvillkoren och det ansågs allmänt som en upprättelse för honom, särskilt med tanke på freden i Knäred 32 år tidigare, då han hade bevittnat hur "moder Svea låg på knä och var röd i synen som en kräfta".

Det var ingen dålig förläning, elva socknar som lämnade en årsinkomst av 200 000 riksdaler specie, en summa som i dagens mynt skulle motsvara några miljoner kronor, som kanslern väl kunde reda sig med trots sitt stora hov.

Södra Möre

Södra Möre, det bördiga och ängsrika landskapet söder om Kalmar, är som tidigare nämnts förknippat med Axel Oxenstierna. Här låg hans grevskap och här residerade han på det ståtliga Värnanäs. Ursprungligen var Värnanäs en småländsk gård som tillhörde Gustav Vasa, men på 1600-talet blev den huvudgård i Oxenstiernas grevskap. Här vilar ännu en mäktig traditionsmättad stämning både över byggnader, park och kulturlandskap.

Värnanäs, tecknat av skalden Karl August Nicander vid ett besök hos familjen Mannerskantz under Nicanders Skandinavienvandring 1824.

Värnanäs tillhör sedan 1789 familjen Mannerskantz och den vackra huvudbyggnaden liksom uthuslängorna har ritats av den förnäma arkitekten och lanthushållaren Carl Mannerskantz.

Här vill man lustvandra i den engelska parken som anlades efter ritningar av Jonas Carl Linnerhielm. Ute på Näset växer pampiga ekar, som omger det träslott som troligen stammar från Axel Oxenstiernas tid. Hela denna trakt bär prägel av den landskapsvård och hängivenhet till naturen som präglade de gamla herrgårdarna, inte minst under gustaviansk tid.

Här har också fridlysningen satt in tidigare än på de flesta håll i Sverige. På Värnanäs är t.ex. 323 ekar och 155 bokar jämte 13 jättefuror fridlysta. Därtill kommer ett liknande skydd för ett stycke av den typiska skärgårdsnaturen, liksom alléträd och trädgrupper i parken.

I denna bördiga bygd, där vinstgivande handel blomstrat sedan medeltiden (ofta redan under forntiden) står några vackra kyrkor och vittnar om

Voxtorp är en utsökt klenod, en medeltida rundkyrka söder om Stagbyån (och söder om Kalmar). Dessa tempel var byggda lika mycket till försvar som gudstjänst. Det var en rik bygd med mycket att slå vakt omkring.

rikedom och ofredstid. När man har rastat vid Värnanäs är det inte långt norr ut till Voxtorp, en rundkyrka, dit småvägar för till en betagande idyll, där endast gråstenstornet påminner om strider som varit: Den egenartade Hagby med sina omgivande murar och månghundraåriga ekar ligger bara några kilometer norr ut. Och när vi ytterligare ett stycke mot norr når Ljungbyholm har vi framför oss ett av de mest bastanta sädesmagasin som Småland äger. Det donerades av den förmögna Ljungbyprostinnan Emerentia Bäckerström, född Hoppenstedt. Det var hon som grundade sin

Hagby rundkyrka, ursprungligen byggd som försvarskyrka, här tecknad av skalden Karl August Nicander på dennes Skandinavienvandring 1824.

rikedom på väldiga arv av gods, gårdar och järnbruk (bl.a. Ankarsrum och Helgerum). Hon donerade det pampiga magasinet till socknen 1803. Det lönar sig att stanna och beundra detta unika hembygdsmuseum. Liksom också den närmare Kalmar belägna Hossmo sandstenskyrka (också en försvarskyrka), föga förändrad sedan 1100-talet. Det var här biskop Hemming Gadh vid början av 1500-talet försvarade bygden mot danskarna.

Hossmo kyrka från 1100-talet söder om Kalmar. Biskop Hemming Gadh försvarade bygden vid 1500-talets början mot danskarna. Foto Tomas Nihlén.

159

Järnkusten

Den väna kusten i öster med sina grönskande holmar och idylliska samhällen – med välklingande namn som Pataholm, Timmernabben, Påskallavik, Mönsterås – gömmer fascinerande gåtor från fornstora dar och ruvar på minnen från grymma sjörövartider. Allt är inte bara idyll som det kan tyckas en sommardag, när färden går från Mörebygden upp till Tjust.

Utsikt över köpingen Mönsterås (1872) efter teckning av A. T. Gellerstedt.

Gåtorna: Vilka bodde här förr i tiden, för mycket länge sedan? De första människorna här i Östanland lockades av fisk och säl – båda slagen fanns det gott om. Det var för omkring 5 000 år sedan – samma tid som då Egypten enades till ett rike och blev en stormakt. Barbarer i norr, kulturmänniskor vid Nilen! Då såg östkusten annorlunda ut än nu. Väldiga urskogar av ek och blandskog sträckte sig ner mot sjön, djupa vikar gick in i landet. Östersjöns strandlinje låg 8–10 meter högre än nu.

Men dessa jägare som vi bara dunkelt känner genom kvarlämnade fynd på boplatserna (sälharpuner, pilspetsar, yxor och skärvor av lerkärl) hade kanske ingen varaktig stad på kusten; måhända byggde de "fäbodar" som brukades endast under fiske- och jaktsäsongen. Folk bodde här i alla fall.

160

Den gamla prästgården vid Lilla Forsa, byggd i karolinsk stil. (Foto Tomas Nihlén.) Här bodde på 1700-talet kyrkoherden Jacob Wallenberg, som bl a skrev en av våra roligaste reseskildringar, Min son på galejan, på grundval av sina upplevelser som skeppspräst på ostindiefararen "Finland" på en resa till Kina. På denna egenhändiga bild ses han i sin hytt läsa en bok, flitigt bolmande på sin pipa.

Lika stora är gåtorna när vi nalkas bronsens tidevarv (ca 1500–400 f.Kr.), då den första metallen kom i bruk. Stora rösen, ofta uppe på bergshöjderna, hittas längs kusten; ensamt liggande monument, ofta fynd-lösa, 8–10 m över havet med en ålder av kanske 3 000 år. Sådana ensamt liggande rösen kan man förresten följa längs den svenska östkusten ända

161

Gamla vägen stryker ännu förbi prästgården i Lilla Forsa, Mönsterås. Foto Tomas Nihlén.

upp mot övre Norrland. Det är minnen från den gyllene bronsens tid, en gåtfull epok långt bortom alla historiska källor. När levde dessa stormän med skepp och svärd, med fjärrhandel till Europas högkulturer, med kvinnor bärande smycken vars skönhet ännu bländar? Vi vet inte så mycket annat än läget i tidens schema; de levde samtidigt med de stora, pyramidbyggande faraonerna, kungarna i Mykene, de seglande fenicierna.

Några fynd kan tala. Se på "husurnan" från Fälle i Mönsterås med sin ovala plan, dörr på långsidan, rököppning i toppen. Det är en askurna som avbildar ett litet hus (tror man). Eller se på hällristningen vid Lagmanskvar i Döderhult, ett 3 000-årigt skepp med roddare, styråra och spant – Odyssevs kan ha använt ett sådant skepp eller, mer sannolikt, Amon-Ra, när han for över rymdens hav till Dödens boningar. Eller beundra det ståtliga Kumlet, dominant i sitt landskap, mellan Stora Forsa och Karlsborg. Det är ett minne från bronsens och bärnstenens tidevarv i Mönsteråsbygden. Men här återstår gåtor att lösa. T.ex. denna: Vad hade man för betalningsmedel i denna fjärrhandel, när man bytte sig till vapen och dyrbara metaller? Hur klarade man handelsbalansen i detta långväga utbyte mellan Norden och Södern? Bärnsten, skinnvaror, hantverksprodukter?

Bronsåldern anses sluta ca 400–500 f.Kr. Efter den tiden blir det ganska tomt på kusten. Enstaka gravfält och domarringar berättar om bosättning här under århundradena närmast efter Kristi födelse. Under vikingatiden (800–1050) ligger åter boplatser och hamnar längs kusten.

Ett vikingafynd måste jag berätta om. Året var 1960 och platsen Käppevik i Mönsterås. Några stenarbetare var i färd med att spränga itu ett flyttblock som låg 15 meter från strandkanten. "En skur av silver" regnade över dem, när blocket sprängdes. De hade kommit på en s.k. fyndgömma – en skatt: hundratals mynt (arabiska, tyska, ett Birkamynt) och en hel hop smycken. Där fanns örhängen, armringar, och diverse andra ringar, silverstänger och diverse fragment. En förmögenhet låg här i skogen utan anknytning till någon bebyggelse.

Det var oroliga tider i denna del av Småland för tusen år sedan. Kanske en handelsman som tjänat pengar i Österled hade gömt sin förmögenhet på kusten, avlägset, vid ett stort stenblock. Men han kom aldrig tillbaka.

Kanske var han en av dem som den småländska runstenen (Vittaryds socken) talar om: "Sven, som dog österut i Grekland."

Järnåldern har satt sina spår här som överallt i Småland. Den tunga metallen kom i täta foror från skogsbygdens myrjärnsugnar ner till kusten för att skeppas över haven – mot öster och mot söder. Vid Ålem, vars namn doftar vikingatid, har man gjort ett storartat fynd – ett kronformigt ämnesjärn, tillverkat i väster, avsett för export österut. Eller kanske är det ett bastant betalningsmedel långt innan de småländska köpmännen fick egna mynt.

Det är dock någonting som sker med kustlandet efter 800 e.Kr.; under vikingatiden träder det mer och mer fram ur det historiska dunklet. Bland fynden fäster man sig särskilt vid de stora järnsvärden, funna i trakten av nuvarande Kalmar, vilken stad spelade en tidig roll som väktare.

Omkring tideräkningens början sträckte sig den romerska handelns tentakler ända upp till Ultima Tule. Romarna hade lagt under sig en stor del av Europa; Augustus utfärdade som vi vet av Bibeln ett påbud, att "all världen skulle skattskrivas" (stolta ord!). Men germanerna i norr bildade en fri värld som drev sin egen handel. Det var när Augustus stängt Janustemplet på Capitolium och den romerska freden rådde. Då skapades en högkonjunktur över länderna kring Östersjön. Det är ingen tillfällighet att man funnit romerska kejsarmynt just kring Kalmar. Fanns det en handelsplats i detta område redan under romersk tid (400 f.Kr.), låg Kalmars ärorika och växlingsrika historia en gång förankrad i denna tid? I så fall ett svindlande tidsperspektiv. Här spelade järnet en stor roll. Det järn och handeln med ämnesjärn som lade grundstenen till Kalmar. När Sigurd Jorsalafare 1123 gjorde den beryktade "Kalmare-ledingen" och härjade stad och uppland var det den rika järnbygden som lockade främlingarna; redan då var Kalmar en betydande handelsplats.

Det fanns en annan förbindelse som i tidernas morgon gav liv och innehåll åt dessa bygder – den som gick från Smålandskusten över Öland till Gotland. Den förde Småland i kontakt med de rika öarna, kanske redan före tideräkningens början, och indirekt med Weichselområdet och kontinenten. Här kan exporten av malm (myr- och sjömalm) ha spelat den avgörande rollen. Det skulle betyda att den småländska järnåldern började så smått redan något århundrade före Kristi födelse. Men här återstår ännu mycken forskning innan vi kommer bort från hypotesernas gungfly.

Fribytaren på Östersjön

När den fine forskaren Manne Hofrén i Stockholm presenterade sitt material från sina herrgårdsforskningar i Kalmar län var det en händelse i den lärda världen. Kronprinsen (sedermera Gustav VI Adolf) var närvarande liksom riksantikvarien och en rad forskare från Vitterhetsakademien och Nordiska museet. Den gamle bruksdisponenten Carl Sahlin (tillika framstående forskare) satt ordförande och sade i sitt tacktal bl.a.: "Nog visste vi att många sköna herresäten fanns i Småland men aldrig att deras antal var så stort och deras kulturhistoriska värde så unikt – ack, vad vi ännu har klenoder i vårt kära fosterland. Vår tacksamhet är stor att dugande kulturskildrare har låtit detta arv leva upp!"

Jag minns ännu de nästan bländande bilderna och de stillsamma kommentarerna. Ännu minns jag några namn: Strömserum, Fredriksberg, Em, Kronobäck – namn ur högen. Vi stannar vid Strömserum, det fantastiska träslott strax vid sidan av den gamla idylliska landsvägen som man ännu kan följa från Mönsterås ner mot Kåremo; varifrån man upplever verkligen mycket av det som fanns under den gamla goda tiden.

Först några data. "Slottet" byggdes på 1760-talet av landshövdingen Carl Rappe, vars släkt ännu lever kvar här. Det var Rappe, den driftige kulturälskande hövdingen som skapade detta monument från rokokotiden i ett härligt landskap av ekhult och grönskande ängar.

De flesta av dessa herrgårdar, som har haft järnet, skogen, jorden, handeln och fisket som ekonomisk bas, har anor från medeltiden, ja i några fall från forntiden. Återigen tusen år i Småland!

Strömserum nämns redan under medeltiden i samband med stormännens ägobyten och släktförhållanden. Ingrid, dotter till östgötabyamannen Svantepolk Knutsson, träder oss till mötes i hävderna. Det var hon som

Strömserum, uppförd 1762, i Kalmar län är en av Smålands ståtligaste herrgårdar, ett träslott vars gavel har en mäktig resning. Foto Tomas Nihlén.

1287 blev enleverad från klostret i Vreta av riddaren Folke Algotsson; de älskande flydde sedan till Norge – ett drama som lät mycket tala om sig. Många ägare trädde till och försvann. Bielkarna satt en tid på Strömserum, Sten Sture d.ä. gav 1467 godset som morgongåva till sin hustru Ingegerd Tott. Sedan uppenbarar sig Gustav Vasa på scenen och simsalabim har vi en ny kungsgård, ett storjordbruk av den typ kungen älskade. Det verkar f.ö. som Gustav Vasa haft en särskild lust till denna vackra kust med dess rikedomar. I ett brev 1554 till ståthållaren på Kalmar slott skriver kungen att han funnit "ganska sköne tillfälle både till hamner, fijskerij och mycken nyttig skog". Stormännen gjorde också sin nytta för riket genom att bygga fästen och ställa upp med folk; rustningstjänsten infördes i landet under medeltiden.

Ett viktigt skifte i Strömserums historia skedde 1622, då Gustav II Adolf överlät godset till sin lärare, den vittberömde Johan Skytte, en av landets mest betrodda ämbetsmän; det var f.ö. han som genom en donation grundade Skytteanska skolan i Ålem, en av de äldsta i landet och ännu i bruk. Men sedan kom den obönhörlige Karl XI med sin reduktion 1698 och Rappe fick sitta kvar allenast som arrendator.

Så kommer en ny storhetstid. 1759 drar friherre Carl Rappe in på Strömserum och genom ett s.k. skatteköp blir han så småningom ägare. En ny storhetstid stundar. Den vackra herrgården kommer till. Den driftige Rappe, landshövding och politiker, ger liv åt godset och dess mångsidiga verksamhet. Rappe blir ett begrepp inom Stranda härad.

Allt låter skönt och harmoniskt. Solen lyser över karoliner och gustavianer; det går väl i händer för brukspatroner och skogsägare. Men pass på: dystra händelser finns inflikade i denna historia och här skall berättas en. Den nyss nämnde Johan Skytte hade en son vid namn Gustav Adolf Skytte (född 1637), arvtagare till den stora herrgården. Det var en begåvad man och det knöts stora förhoppningar till honom. Efter att ha studerat i Uppsala blev han officer vid Smålands kavalleri. Men vad hände sedan denna unge ädling? Äventyret lockade. 1657 – han var då endast 20 år – hyrde han och några kamrater en skuta i den polska staden Elbing. Sällskapet seglade mot hemlandet och när de siktade den svenska kusten dödades skepparen och hela besättningen utan förskoning, och fartyget togs som pris. När de omsider anlände till Strömserum förklarade de helt fräckt för de hemmavarande att skutan var rättmätigt köpt i Polen.

Nu hade den välartade sonen och hans kumpaner fått blodad tand. Sjöröveriet fortsatte – allt i klassisk stil. Strömserum var utgångspunkten och farvattnen ute i Östersjön var en tid framåt ganska osäkra. Bedrifterna blev allt djävare och blodigare; det var ju också en ganska hård tid man levde i. I minnet stannar nog längst det illdåd som förövades 1661 och i vilket utom Skytte deltog hans svåger Gustaf Drake och ett lag av deras vänner; tydligen ett gäng unga och förråade rikemanssöner.

De for söder ut och mötte ett välrustat holländskt fartyg. Utan pardon kapade de skeppet, plundrade det på allt av värde, dödade besättningen och sänkte fartyget. Och så for de hem till Strömserum ...

Men allt gick inte som de tänkt. Nemesis vakade. Efter en tid spreds längs kusten ett rykte att ett vrak flutit iland på Ölands östra kust. Mycket riktigt – det var det holländska fartyget. Misstankarna riktades mot fribytarna på Strömserum och den unge Skytte greps. Förhören drog ut på tiden; det var många människor som skulle höras och syndaregistret var stort. Inte förrän den 27 april 1663 – nära två år efter dådet – gick ridån ner för detta blodiga och grymma drama. Den dagen halshöggs Gustav Adolf Skytte på torget i Jönköping.

För senare tiders barn har Skyttes bravader blivit aktuella i Viktor Rydbergs roman "Fribytaren på Östersjön".

Döderhultarn

För nära femtio år sedan hade jag en föreläsningsturné längs ostkusten. Oskarshamn, där jag övernattade, låg och huttrade i höstdimman med klagande sirener från sjön. Det kändes trist att gå och vänta i den lilla småstaden. För att få tiden att gå gick jag in i en frisérsalong för att bli rakad och klippt. Medan barberaren tvålade in mig (det var då!) frågade jag försiktigt om han möjligen hade känt Döderhultarn. Han lyste upp och började berätta om sin vän och själsfrände. Timmarna gick, vi blev goda vänner och han följde mig till hotellet. Efter min föreläsning satt vi framför brasan. Han berättade om den bisarre skulptören och om sig själv. Natten hade nästan gått till ända när han bröt upp.

Jag hade träffat en märklig man, barberare Henry Bricer, ett litet geni i den store mästarens skugga, en mångfrestande småstadsbohem med litterära ambitioner, en av de stora kännarna av människan Axel Petersson, Döderhultarn. Han blev så småningom, när Döderhultarns stjärna steg, intervjuad av journalister, konstnärer och forskare (Berit Spong, Gunnar Jungmarker, Albert Engström för att nämna några). Från resan för femtio år sedan minns jag särskilt den med rörelse berättade episoden om Döderhultarns mors sjukdom. Bricer berättar:

Jag kom upp på hans verkstad. Modern var svårt sjuk och han kunde behöva hjälp. Men han såg inte, hörde inte där han låg på knä framför huggkubben och bad. Det var en hemsk bön. Jag kunde uppfatta brottstycken mellan suckar och vredesutbrott: "Nu gör du mor frisk igen … Du får inte låta henne dö … för då Din jäkel skall Du få med mig att göra. Skall korsfästa Dig på allvar om Du tar henne bort." Jag smög mig bort och kom igen när han hade lugnat sig.

Oron över modern satt i. Han var otröstlig när hon gick bort – just när han hade haft sin första stora framgång.

En gång, jag tror det var efter denna episod, fick jag se hans "korsfästelse". Det var en ohygglig bild. Istället för Kristus hängde en rödskäggig smålandsdräng på korset, upp och ner med ansiktet förvridet av den vildaste smärta. Var det hämnden? Figuren försvann, jag tror att släktingar brände den.

Bricer berättar vidare, om mästarens strövtåg över erotikens förbjudna fält: skulpturer som föreställde samlagsställningar i hänsynslös naturalism, men också ömsinta djurstudier med motiv från barndomsgården. Han älskade djur och kunde återge dem som ingen annan i brunst och vila.

Han snidade många fruktbarhetssymboler. Dylika saker gömdes i bordslådan eller försvann. En fallos hamnade hos Albert Engström som berättade att han från Döderhultarn "fick i present en phallos av aktningsvärda dimensioner, icke alls stiliserad som de pompejanska utan ohyggligt och kunskapsrikt detaljerat realistisk".

Bricer gav mig en bild av mästaren som jag aldrig skall glömma. Han demonstrerade också några av hans verk hos en vän i staden. Vad är i övrigt att berätta om Döderhultarn och hans liv. Skola? Ja, det var det minsta möjliga och de första intrycken var ödsliga. I småskolan hemma i byn hade han som lärare en gammal soldat som hette Lård; han slogs så ofta han fick tillfälle. En episod satte djupa spår i Axels känsliga sinne. En flicka från ett fattigt hem hade varit borta från skolan ett par dagar. När hon darrande av rädsla kom tillbaka till skolan, neg hon djupt för Lård och berättade med darrande röst att hennes mamma hade varit sjuk och att hon måst hjälpa till hemma.

– Men ho hälste te skolmästarn och sa att han skulle få en kull ägg när hönsa börjar värpe, om han inte slår mig.

– Hälsa du mor di att ja strunter i hennes ägg, röt Lård.

Och så gick han på henne med käppen. Då grät Döderhultarn, mest för att han var för liten att slå honom på käften.

Så småningom tog sig denna episod uttryck i den mästerliga skulpturen "Den obarmhärtige fosterfadern", där all hans vrede och bittra förödmjukelse bubblade fram. Redan som sexåring skulpterade han – i moderns pepparkaksdeg. Men när hon upptäckte en karikatyrmässig Kristusfigur i degen blev hon rädd och plånade ut den.

I småskolan kände han sig aldrig hemma och ännu mindre i det efterblivna läroverket i Oskarshamn, dit han kom som trettonåring. Det var lärare av gammal frän årgång "Pilt av ris och färla öm, bäst med boken tämjes" hette det. Rektorn själv (S. G. M. Ströhm) gick i täten. Han brukade, sedan han tagit tre prisar snus, slå pojkarna i knävecken. Dr Beronius med sin elfenbenskryckade käpp var inte sämre. Av dessa och andra lärare har Döderhultarn gjort mästerliga karikatyrer.

Det gick dåligt i skolan. Egentligen var det bara teckning och naturkunnighet som väckte hans intresse. Han gjorde karikatyrer av lärarna och han snidade med sin täljkniv.

Efter sina misslyckade studier for han hem till mor, och de håglösa åren tog vid. Något arbete på fältet blev det aldrig, men han umgicks med

170

Smålandsgubbe. En gammal lärare som Döderhultarn skulpterat med stor porträttlikhet. Foto Tomas Nihlén.

djuren, de lyste upp hans tillvaro: oxar och hästar, kor och katter. Och så stängde han in sig på sitt rum och snidade. Någon gång gick han i kyrkan och hörde prosten Arbman predika. Med beundran såg han de primitiva kyrkliga skulpturerna av anonyma konstnärer som han kände sig befryndad med. Fattigbössan i vapenhuset intresserade honom också, en stor träskulptur kallad "Dödergren", klädd i svart långrock och hög hatt. I handen håller han ett plakat (likt "Rosenboms" i Karlskrona):

"Ödmjukast jag Er beder, fast rösten min är matt, kom lägg en penning neder, men lyft uppå min hatt."

Lantlivet tog slut och modern flyttade in till Oskarshamn med tre av sina barn. Där bodde Döderhultarn, med kortare uppehåll, ända till sin död. Han "lekte beväring" i 42 dagar på Ränneslätt och lärde sig hur ridhästar såg ut, han gjorde utfärder till Skurugata i Albert Engströms hembygd, blev en vagabonderande bohem och kom aldrig in i något ordnat liv, han "bara kreta i trä". Det var verkliga hundår, "den långa fastetiden, de tjugo magra åren".

En gång skulle han pröva lyckan i Amerika. Anhöriga försåg honom med reskassan och han gav sig åstad. I Malmö tog han in på hotell Horn. En genialisk plan hade tänts i hans hjärna, han skulle spela på lotteri och bli rik – och sedan återvända hem och berätta om sitt äventyr i landet i väster. Alltså köpte han lotter i Danska Klasslotteriet och spelade för fullt. Medan han väntade satt han på hotellrummet och karvade i trä, hästar och människor. Material fick han ur vedlåren invid kakelugnen. Vinsten lät vänta på sig och källarmästaren måste ta skulpturer i avbetalning för rum och mat. Källarmästaren tyckte att han kunnat ta ett enklare rum som verkstad men Döderhultarn blev inte svaret skyldig: "Då jag inte har några pengar tar jag alltid in på de finaste hotellen, för de har bäst råd att bära förlusten."

Till sist kom en broder och hämtade hem honom. Och så satt han där hemma igen och högg och karvade i sin gamla vedbod och blev ett känt original. När pengarna tröt ställde han sig på torget och sålde trägubbar för 25 eller kanske 50 öre stycket. Han blev känd för sin vassa tunga, sina frivola skämt med kvinnorna och sina roliga historier. Han var och förblev en enstöring utom när han fick kontakt med resande artister och affärsmän.

I likhet med många original och naturvuxna konstnärer var han intresserad av teknik och arbetade länge på perpetuum mobile. Han försökte sig en gång också som föreläsare i Sveasalen i Oskarshamn. Inträdet var en halv liter bensin (det var under kristiden) och ämnet astronomi och geologi. Så löd annonsen:

Föredrag
över ämnena Astronomi och Geologi
hålls av *konstnären Axel Petersson – Döderhultarn* å Sveasalen härstädes lördagen den 9 nov. kl. 8 e.m. Samtidigt gives uppvisning i snabbteckning efter musik av den kände violinvirtuosen hr Gustaf Holgersson. Entrè: 1 kr eller en halv liter benzin (helst den senare).

Alla välkomna
Döderhultarn

Det har sagts (bl.a. av Albert Engström) att föredraget misslyckades. Sanningen är att det blev succé och en av de stora händelserna i Döderhultarns liv. Så här refererar Oskarshamns-Tidningen:

"Döderhultarn förnekade inte sin originalitet ens i talarstolen. Med det suveräna förakt för publiken, som de grekiska och romerska retorerna så livligt rekommenderade, lät vår nye populärföreläsare publiken få reda på världsalltets orimliga storlek, himlakropparnas beskaffenhet och istidens härjningar på norra halvklotet. Men dessemellan talade Döderhultarn också om mycket annat. som kom publiken ömsom att bäva och ömsom att ligga dubbel av skratt. Under 'mellanakterna' ritade han gubbar och gummor under glada toner från en violin, förträffligt trakterad av en ung man.
Efter nära två timmars 'föreställning' var det hela slut, och Döderhultarn klev ner från talarstolen under en skallande applådåska."

Han hade också ett annat intresse: att flyga. Under senare år lade han ut tusentals kronor på denna hobby. När han kom ner från en halsbrytande konstflygning på Gärdet sa han till journalisterna:
– Det var liksom en liten ekivok känsla!
Det var äventyrslystnad, ett instängt behov av självhävdelse, ett slags människoförakt:

– När en flyger, så blir männeskera så usle och små som flugprickar på e karte.

På en resa i Småland råkade jag min gamle vän Olle Orback, vars släkt härstammar från Döderhults socken. Far och farfar ägde flera gubbar av honom men man skattade dem inte särskilt högt. När det var kallt i huset och ont om ved hände det att man tog ett par gubbar och kastade in i spisen. Runtom hos familjerna såg man skulpturer av Döderhultarn och barnen använde dem till leksaker.

Döderhultarn var känd för sitt originella sätt att vara och uttrycka sig. Han sa om sig själv att han var en ganska "frivål" person. Ibland brukade han hyra lotskuttern i Oskarshamn för att i sällskap med ett par lediga lotsar göra en utfärd till Blå Jungfrun. Lotsarna, som ofta var religiösa, såg ner en smula på Döderhultarn men följde gärna med på hans utfärder. Det hände att han tog med någon av servitriserna på hotellet, ty trots att han var ogift var han ganska förtjust i kvinnor. När han kom iland efter en sådan utflykt hände det att han sa till sin dam:

– Hjärtligt tack för samlaget. Jag tycker alltid att det är bäst att ligga med en jungfru på Blå Jungfrun!

Både farfar och far tog ofta hand om den avsigkomne konstnären, berättar Orback vidare. De försörjde honom långa tider med grönsaker från sina odlingar och en handlare i grannskapet höll honom med specerier. Han var som vi tidigare har sett mycket förtjust i att resa men han stannade aldrig länge borta. Sedan han fått kontakt med ett par konstnärer i Stockholm for han rätt ofta dit med ångarna Tjust, Gamleby eller Jarl men om det gick vände han åter samma dag och med samma båt.

Döderhultarn var en kvick och ganska klok man och många av hans visdomsord går ännu i bygden.

Orbacks mor var en av dem som var skygg för Döderhultarn och hon brukade berätta hur hon kom att gå bakom honom på gatan. Då vände han sig hastigt om och ropade:

– "Elsa Victorina vi förföljen I mig?"

Något sådant var det ju inte tal om men Döderhultarn tyckte om att chockera pryda kvinnor och då använde han oftast ett ålderdomligt språk.

Hasse Z spårade upp Döderhultarn 1909 och fick med några av hans saker på Hultbergs konsthandel och samma år utställde han på Konstnärsförbundet. På en gång blev han uppmärksammad av de stora – Carl Eldh, Milles, Axel Romdahl (som köpte Beväringsgruppen till Göteborgs Konstmuseum), Albert Engström. Den lille föraktade träsnidaren med en nersliten vindskupa till ateljé blev på några dagar en berömd konstnär som nämndes vid sidan av Christian Eriksson och kom rakt in i den svenska konsthistorien (Roosval–Romdahl: Svensk Konsthistoria 1913) – "den långa fastetiden" var slut.

"Ni var en gång ett geni lagt för fäfot, nu ropas Er storhet ut över gator och torg" skrev Ester Sahlin i ett beundrarbrev.

Triumfen dämpades när modern kort därefter gick bort. Den bittra sorgen kunde inte dämpas av ära och guld. "För honom var hans mor det stora mystiska, älskade undret, honan ur vars sköte han klämts fram i ljuvlig och hemsk smärta. Hon var hans helgon." (Albert Engström.)

Hästar i vild galopp. En av Döderhultarns många djurskulpturer. Foto Tomas Nihlén.

175

Döderhultarn upphörde aldrig att sörja sin mor. I ett frenetiskt skapande, en nästan rasande frenesi sökte han kompensation för att Gud hade tagit modern ifrån honom; han "hämnades".

Döderhultarn är helt unik i sin klass, ett sällsamt skott på det småländska stamträdet. Hans like fanns inte, kommer kanske aldrig att finnas. Från intet kommer denna robuste men innerst inne veke mästare som skildrar sitt folk med ömma händer och låter dem leva vidare i våra hjärtan och in i framtiden.

Hos Döderhultarn låg tungsinnet alltid på lur – som så ofta hos de stora mästarna i konst och diktning, men det lystes upp av hans humor och medkänsla. Ensamhet och blyghet fanns alltid på djupet även om glada upptåg och bisarra skämt låg på ytan. Det fanns ett dystert drag kring ögon och panna.

Tre tusen år på Simpevarp

I samband med landskapsvården kring Simpevarp och dess kraftverk forskade vi en del i bygden – det blev en välkommen biprodukt till allt annat vi nådde fram till. Vi hade god hjälp av den skicklige arkeologen och kulturhistorikern Dagmar Selling och vi låter henne tala, närmast om den by (Simpevarp) som låg i kraftverkets skugga:

– Något av ålderdomlig karaktär dröjer alltjämt kvar över byn vid kraftverkets fot. Bostadshusen ligger trivsamt kringspridda, en hel del ekonomibyggnader finns kvar, och man går på gångstigar, som trampats av generationers steg. Här och var står ett knotigt äppelträd, yviga bärbuskar bildar större eller mindre buskage, åkertegar och ängsmarker liksom de mödosamt upplagda stenmurarna vittnar om odlarflit. Byns fördelning på fem gårdar fanns redan, när storskiftet genomfördes år 1804. Bostadshus och ekonomibyggnader har klungat ihop sig i backen ned mot Gloet, och stranden, där varje familj hade sin sjöbod. Rökstugan, som ligger på en holme för sig själv, nedgrävd i backen och med toppigt sticktak, var gemensam för hela byn. Av åker och äng hade man inte särskilt mycket,

En gammal rökstuga vid Simpevarp (använd av hela byn vid rökning av fisk) har restaurerats. Foto Tomas Nihlén.

men det lilla som fanns betydde ändå ett välkommet tillskott till uppehället vid sidan om fisket. I början av 1940-talet användes av byns totala 149,5 hektar endast 13,5 hektar som åker och 1,0 hektar som ängsmark.

De byggnader, som nu återstår av den gamla byn, är av traditionell typ. Vi finner likadana överallt i den omgivande bygden. Vissa av dem har säkerligen passerat hundraårsgränsen, något hus härrör möjligen från 1700-talet och ett enstaka har tillkommit så sent som 1940, dock utan att

177

därför bryta av mot de övriga. De äldre husen är alla knuttimrade, men knutarna höggs bort, när man vid sekelskiftet klädde husen med läktpanel. Att Simpevarp har en betydande ålder bevisas av arkivhandlingar. Uppgifterna leder tillbaka åtminstone till 1550-talet. I april 1555 skriver Gustav Vasa till sin ståthållare på Kalmar slott Germund Svensson Some, och förklarar sig nöjd med att denne för slottets behov skaffar fisk från bl.a. Simpevarp.

Men det har faktiskt funnits människor i denna trakt under ännu äldre tider. Spåren av dessa finner den, som strövar i skogen västerut från byn. Där ligger på de högsta höjderna i den kuperade terrängen några rösen av ganska betydande dimensioner. Det största, beläget ett par hundra meter nordväst om byn, är 20 meter i diameter och ett par meter högt, andra är 8–10 meter i diameter.

Endast en del av dessa fornlämningar har blivit undersökta, men det finns utmed kusten många likadana och på samma sätt högt belägna, som visat sig innehålla brandbegravningar. Föremålen, som anträffas i dem, är vanligen oansenliga, men kan i åtskilliga fall dateras till en sen del av bronsåldern, tiden ca 700–400 f.Kr.

Vid denna tid befann sig ännu hela den centrala Simpevarpsbyns område under vattenytan. Gravrösena, som alla ligger på nivåer över tio meter över havet, har byggts på de delar som stack upp som småöar i yttersta havsbandet. Där har de blivit monumentala landmärken för sjöfarten, som genom tiderna gått fram utmed kalmarlänets kust.

Så långt Dagmar Selling.

För tre tusen år sen eller mer fanns det folk som satte garn och klubbade säl i Misterhults skärgård – det antyder de höga kummel som ligger på några av de högsta punkterna kring Simpevarp och Ävrö. Men då – under bronsåldern – såg landet inte ut som nu. Det som fanns var endast holmar och skär långt utanför det småländska fastlandet. Då såg Misterhults skärgård ut ungefär som den yttre delen av Stockholms skärgård. Långt senare, under järnets tidsålder – och vi har då passerat tidräkningens början – hade landet höjts upp så mycket att riktiga öar bildats med lätta jordar och gräsrika ängsmarker. Då sattes hacka och plog i jorden och

178

kreatur släpptes på bete i kärren, och båtar byggdes längs stranden. När man började röja för kärnkraftverken blottades åtskilliga stenrösen. När arkeologerna började syna dem närmare befanns det vara gravar – ett helt fält på 25 stycken. Här skulle Oskar III och Oskar IV uppföras. Det fanns ingen pardon.

Det största röset, som jag bedömde som mycket gammalt, bad jag för. Med all vördnad – kumlet fick heta Johns grav – sopades det bort men först sedan noggranna undersökningar skett. Ansvariga "grävaren" Kerstin Östmark berättar om vad man fann i rösena:

De 25 gravar som undersöktes och togs bort var uppbyggda av sten och delvis täckta av mossa. Storleken varierade från ett par meter och upp till nästan 10 meter i diameter. De största var drygt 0,5 meter höga och låg på bergknallarna alldeles vid kusten eller som mest 200 meter in från den. Bara fem av gravarna innehöll fynd, och de låg alla nära kusten.

Två gravar var ovanligt rika. Den ena innehöll ett mycket dåligt bevarat obränt människoskelett tillsammans med brända ben, som ännu inte är bestämda (människa eller djur). Fynden bestod bl.a. av nitar, spikar, hästskosöm och sölja av järn, en brynsten, keramik, fyra gröna glaspärlor och en cirkelrund sölja, stor som en 50-öring. Den glänser med en färg mittemellan guld och silver och är gjord av kopparlegering. Den tillhör medeltid. De andra enklare fynden är praktiska föremål, som redan tidigt i forntiden fick sin ändamålsenliga form.

Den andra graven gav oss stor hjälp med dateringen. Den innehöll bara ett fåtal obestämbara brända ben, men dessutom bl.a. organiskt material, som kan vara bröd (vilket inte är ovanligt i gravarna under forntiden) och sädeskorn, två järnknivar, en brynsten, en blå glaspärla och ett treklöverformat beslag av kopparlegering, som tillhör medeltid. Märkligast i den här graven är ett helt mynt och små fragment av ytterligare ett. De är möjligen tillverkade av silver – i konserveringsrapporten står försiktigtvis vitmetall. Det fullständiga myntet är präglat i Groningen i Nederländerna för biskop Bernold (1027–1054). Biskopen är avbildad på framsidan. Dateringen infaller i vikingatidens allra sista del. Då hade man inte penningekonomi i vårt land. Man använde mynten efter metallvärdet eller bar dem ibland som smycken. Det är högst sannolikt, att myntet blivit nedlagt i graven många år efter präglingen. Någon gång på 1100-talet är troligt med hänsyn till beslaget.

Dessa gravar är gåtor (liksom liknande fynd söderut, t.ex. vid Käppevik). Var bodde man, vad levde man av, varför lade man på hedniskt sätt gravgåvor till den döde, trots att kristendomen, som ej tillät sådant, för länge sedan predikades i landet? Är det en begravningsplats för sjöfarande utanför lagen, vikingar som levde kvar i gammal tro och sed?

Längre in från kusten låg de fyndtomma gravarna, pampiga – från det likaså gåtfulla tidevarv vi kallar bronsåldern (1500–400 f.Kr.). Men låt oss t.v. lämna gåtornas värld i Misterhults sköna skärgård.

Under medeltiden måste bygden ha varit sluten med gårdar, byar och strandbodar. Ty när Gustav Vasa i mitten av 1500-talet skriver till sin ståthållare i Kalmar om fisket i denna skärgård då nämndes en rad av de fiskelägen i Tjust-Ävrö, Långö, Marsö och Simpevarp som funnits kvar till vår tid. Och vid den tiden hade Simpevarp blivit en kronans fiskeplats. Fisket på denna kust hade blivit rikets angelägenhet genom det danska trycket på västkusten. Under 1600-talet skymtar Simpevarp i de offentliga handlingarna och under 1700-talet vet vi att stora nyodlingar togs upp i byn och under 1800-talet fanns skeppsbyggeri i byn.

Under sekler har Simpevarp och dess grannbyar på kusten levt sitt liv utan revolutionerande förändringar. De små tegarna röjda i skogen, gräskärren i sankmarkerna och framförallt fisket vid kusten har givit bärgning åt människorna. Långa tider, när jorden givit klen avkastning, har fisket varit den viktigaste näringskällan. Här bodde småbönder "som brukade stranden" men dessutom också hade utkomst av skogen.

När man började projektera ett kraftverk vid Simpevarp hade byn redan börjat upplösas och en stor utflyttning hade ägt rum, två av gårdarna hade sålts till lantbruksnämnden – den nya tiden med jordsammanslagningar och flykt från landsbygden hade redan brutit in. Men den definitiva gränsen markerades av OKG:s (Oskarshamnsverkets Kraft AB) köp av de två byarna Simpevarp och Ävrö. Och 1966 är årtalet, då man invid den gamla byn började bygga det första kommersiella kärnkraftverket i Sverige.

Fisket fortsätter ännu vid Simpevarp. Här en av de sista fiskarna.
Foto Tomas Nihlén.

Byn i kraftverkets skugga

För landskapsvården var Simpevarps kraftverk ett svårt problem. Så stora ingrepp i ett idylliskt kustlandskap måste ändra hela landskapets och bygdens struktur. Men rätt utformat och inlagt i sin miljö kan också ett verk av denna art innebära någonting positivt, bilda ett nytt inslag i landskapet. Och de stora måtten kan om de inte missbrukas skapa nya skönhetsvärden. Det gäller också att gå varsamt fram med äldre skönhetsvärden i landskap och bebyggelse. Det var sådana tankar som tog gestalt, när Samfundet för Hembygdsvård och Natur och Miljö fick uppdraget att göra en beskrivning av landskap och bebyggelse och dessutom ge förslag och undersöka vad som kunde bevaras av den gamla byn med dess strandbodar och odlingar.

Det var en intressant men utomordentligt svår uppgift. Det svåraste var att komma med vettiga förslag för det nya landskapet. Allt eftersom tiden gick klarnade programmet under ett fint samarbete med verkets ledning. Och, inte att förglömma Henrik Andersson, sonen till den siste fiskaren i byn, som utbildats till en verklig landskapsvårdare, och andra som fanns kvar från den gamla byn: den härlige, okuvlige Gottfrid, den siste fiskaren i Simpevarps by, ännu igång med garn och hommor när två väldiga torn reste sig över skogen; sonen Henrik, som blev "fåraherde" och en god landskapsvårdare; hans mor som fungerade som rejäl värdinna innan verket dragit igång. Nämnas måste också direktören Olle Gimstedt och överingenjören Lars B. Nilsson. Jag nämner dessa härliga vänner för att ingen skugga skall falla över mitt beslut att till sist, medan ännu Oskar III förbereddes, dra mig bort från Simpevarp i det ögonblick det stod klart för mig att vi här var inne på farliga vägar ...

Och vad vi uppnått är främst följande:

Fyra av de gamla bostadshusen med sina bodar och uthus har bevarats och restaurerats.

"Stortomten" intill byn har röjts och fårbete insatts i två fållor med gamla gärdesgårdar omkring.

Den gamla rökstugan på Enholmen har restaurerats.

182

En rad av de gamla odlingsmarkerna kring byn och Gloet har bevarats och hävdas genom bete. Och det är fåren som sköter markerna som de har gjort här i årtusenden. Lammen betar i kraftverkets skugga!

Flera av de gamla byggnaderna i byn Simpevarp har restaurerats och används nu som gäststugor. Fåren går på bete i den gamla byn i skuggan av kraftverket. Foto Tomas Nihlén.

Tjust – Norra Kalmar län

Småland har näst Skåne den längsta kusten i landet. Längst norr ut ligger Tjust med sin vida och klippiga skärgård. Det är någonting sällsamt med denna "sprickdalsterräng" – Loftahammar, Ed och de djupt inträngande vikarna. Kusten kan ha en tung monumentalitet, släkt med den i Bohuslän och den i Ångermanland. Ibland är naturen karg men här och var blommar strandängarna som färgrika blomtäcken. På de låga skären växer den vilda gräslöken, fetknopp, kärleksört och klibblim. I norr dominerar de allvarliga dragen, strängheten; i söder, mellan Västervik och Figeholm, kommer ljuset och leendet. Öar och holmar har varit betesmarker ända till våra dar. Ekskogen, som en gång fyllde dessa land, lever ännu kvar och går ibland ända ner mot havet.

Den som gästar Örö, "den småländska skärgårdens pärla", upplever (eller gjorde det i varje fall för några år sedan) intagande lövängar och

Västervik. Tjärtunnor rullas till Lilla sjötullen på Tullholmen (Strömsholmen). Teckning i akvatint av J. F. Martin från 1780-talet.

184

lundar av ek. Här fanns för inte så länge sedan ett lotshemman, där lantbruket var helt byggt på boskapsskötsel – så som för länge sedan. Här som på kusten i övrigt har handeln och fisket dominerat. Under forntid och medeltid skeppade man ut järn, senare allehanda skogsprodukter, främst tjära men också betydande mängder plank, bräder, ved och näver. Fiskelägen, ofta kombinerade med jorbruk, marknader och handelsplatser fyllde kusten. Rikedomar skapades. Allmogen tog ofta handeln i egna händer – i strid med de privilegierade hamnarna (Västervik och längre söder ut Kalmar). Det var långa tider kamp mellan olika intressen, t.ex. kronan och kustens privata köpmän.

Även inlandet var rikt. Sagan ruvar på forntidens hemligheter, boplatser, hällristningar, gravar och fornborgar. Här kan man än en gång tala om "Tusen år i Småland". När historiens ljus börjar falla in över Tjust

Verkebäcks hamn, en idyll vid kusten. Litografi från 1848.

Utsikt över Överums bruk i Tjust. Litografi från Sveriges Industriella Etablissementer, 1872. Överums bruk, som grundades av valloner på 1650-talet, har utvecklats till en modern verkstadsindustri, vars främsta produkter, plogar, exporteras över hela världen.

I den gamla disponentbostaden (längst bort på bilden), som uppges vara byggd på 1600-talet av bruksägaren Henrik de Trij, finns dennes porträtt. Till detta är en gammal sägen förknippad: Om porträttet ej får hänga i fred på sin gamla plats så skall en svår olycka drabba bruket genom eld eller vatten. På denna sägen har befolkningen allmänt trott och stötts i sin uppfattning av flera svårare olyckshändelser som verkligen inträffat samtidigt med att porträttet flyttats.

Så berättas det, att då det en gång flyttades rasade en dammbyggnad, varvid vattenmassorna hotade att spola bort hela bruket. Ett annat exempel är från sommaren 1899, då porträttet flyttades och sågen, snickerifabriken, brädgården och delar av skogen brann. På våren 1919 skulle disponentbostaden repareras för den nye ägaren. Tavlan flyttades till brukskontoret – dock under protest från arbetarna; en deputation uppvaktade t.o.m brukisledningen för att förhindra flyttningen som ändå ägde rum. Den 25 april, medan tavlan hängde kvar på brukskontoret, "hämnades" de Trij: verkstadskomplexet brann ned och miljonvärden förstördes.

sitter mäktiga stormän på gårdarna: Bo Jonsson Grip, Karl Knutsson Bonde, Tyrgils Knutsson; den senare ägde Idö lotshemman en mil utanför Västervik. Ända här ute låg rikedomar i fiske och säljakt. I Tjust kan man verkligen tala om herrgårdsbygd. De praktfulla gårdarna konserverar så mycken högre ståndskultur och bildning, byggda som de är på naturtillgångarna järn, skog och jord.

Ankarsrum och Överum lever ännu. Denna bruks- och herrgårdskultur sträckte sig in över östgötagränsen. Under tidernas gång har det på många områden blivit en samklang mellan Tjust och grannbygderna i väster; därav talet om "andliga östgötar och världsliga smålänningar". I kyrkligt avseende hör som bekant Tjust till Linköpings stift.

Allt detta om kust och inland är dock utanverk. I denna skrift har vi ofta talat om vad präster och prästgårdar betytt för såväl andlig som världslig kultur i Småland. Samuel Ödmann och Elin Wägner hör till dem som berättat därom. Här i Tjust inland, där både kulturlandskap och bebyggelse ofta har så ålderdomliga drag – oskiftade byar med pampiga timmerbyggnader, lövängar och andra slåttermarker, slingrande stigar och vägar – har vi också ett vittne: den lärde och vänsälle Tor Andræ. Hans far var präst i Vena och han växte upp i denna sköna bygd, just i brytningen mellan "forntid" och nutid.

Andræ var en lärd man med brett register från semitiska språk, religionshistoria till historia. Jag minns honom från Uppsalatiden, då han var prebendekyrkoherde i Gamla Uppsala. Det var ett gästfritt hem. Var man vän i huset kunde man oanmäld träda in och slå sig ner vid middagsbordet.

Tor Andræ talade alltid så varmt om sin hembygd i Tjust; det låg en slags saklig ömhet i hans sätt att skildra den. Mitt i hjärtat av det sägenomsusade, det framåtsträvande Tjust – så skulle jag vilja säga – ligger Vimmerby, omgiven av byar och samhällen med välklingande namn: Södra Vi, Pelarne, Frödinge, Vissböle. På vad sätt välklingande? Kanske så här:

Vimmerby såsom varande en av de vänaste småstadsidyllerna (trots moderna höghus och okänslig planering) med oxmarknad sen medeltiden och mötesplats sen den tid när hedendom och kristendom kämpade om själarna.

Pelarne genom sin högt belägna träkyrka, en av de äldsta i det här landet. Nära 800 år har gått sedan man timrade den av ek- och furustockar. Utsikten från Pelarne kulle över höglandet långt in i österland är hisnande vacker.

Vissböle, Södra Vi, Frödinge genom sina byar, sina rester av åldrigt kulturlandskap. Välklingande också på ett annat sätt. Hela denna bygd kring det lilla Vimmerby har förlänats ett evigt liv genom det trollspö Astrid Lindgren har sträckt ut över det. När en gång småstadsidyllen Vimmerby är borta, när byar och ektimrade kyrkor försvunnit kommer hela denna bygd att leva med folk och fä, kyrkor och marknader, dans och lek i Astrid Lindgrens skildringar. De kommer att leva inte bara här utan också i främmande världar, där Småland står upp i en ny gestalt av skönhet, äventyr, människors kamp och lek.

I boken om föräldrarna "Samuel August från Sevedstorp och Hanna i Hult", arrendetorp-paret vid prästgården i Näs får vi uppleva Astrid Lindgrens barndomsmiljö i den gamla prästgården med sina almar och lindar, ekar och fruktträd. I svensk litteratur finns inte många skildringar som denna av ett äkta par, sammanvuxet under ett långt livs arbete, buret av en sällsam trohet mot livets goda krafter, upphöjt över mänskligt gnäll och gnat.

Nästan alla hennes sagor och berättelser utspelas i denna småländska miljö – Pippi Långstrump, Emil i Lönneberga, Alla vi barn i Bullerbyn och allt vad de heter. Hon skildrar ett land som inte finns längre, det försvunna landet med kornknarrar och stretande oxar, tröskvandring och hästvagn – "ett annat land steg fram". Så är också hon en av dem som i "Sagans" form lärt oss känna det gamla Småland, det som träder oss till mötes även hos Jonas Stolts, Elin Wägner, Albert Engström, J. A. Göth, Pär Lagerkvist, Vilhelm Moberg och alla de andra.

Redan vallfärdar folk till de orter som Astrid Lindgren berättar om.

Förädlingens land

Järn – Trä – Glas

"Vårt land är fattigt – men inte för den som kan utnyttja naturtillgångarna och förvalta dess avkastning!" sade en gång landshövding Thorwald Bergquist. Han var infödd smålänning, alltid stolt över sina smålänningar och aldrig rädd för att ge uttryck för sin kärlek och beundran. Han citerade också gärna Oscar Lidéns definition på den äkta smålänningen: "vaken, intelligent, glättig, vänsäll och framförallt arbetsam och energisk".

Men nu gällde det naturtillgångarna. Jag frågar mig om det funnits något landskap i vårt land som förstått att bättre utnyttja, förädla och göra pengar av de tillgångar naturen givit.

Så här togs den små-
ländska sjömalmen upp.
Efter N. Melander.

189

Låt oss börja med järnet. Vi rekapitulerar: myrmalm och järnförande lager letade man reda på och började smälta i små primitiva ugnar ungefär vid den tiden då kejsar Augustus härskade över världsväldet Rom (det var kelterna som var läromästare). Genom ständigt förbättrade metoder kom man fram till 1500-talets effektiva masugnar, som sjöng sin sång och smälte sjöarnas malmlager långt in i förra seklet.

Vikingatiden var knappt till ända (1000-talet) förrän bruksjärnet till hackor och spadar fick sällskap med det förädlade järnet, konstsmide med bild- och växtmotiv på kyrkdörrar och kistor. I denna sköna konst kunde man ge smålänningarna en rangplats i Europa.

Lessebo järnbruk. Träsnitt efter teckning av Sven Andersson.

Exploateringen av skogen följer ungefär samma lagar som gäller för malmen. Slumrande tillgångar, sparsamt utnyttjade till en början och till sist en rikedom som växer sig allt större. Utvecklingen har gått från rena "rovdriften" till timmerhuggning som blev underlag för en alltmer förfinad huskonstruktion – släkt med den bästa knuttimring vi har, t.ex. i Dalarna och Hälsingland. Tillverkningen av för hushållning och slöjd nödvändiga redskap har rötter i forntiden. "Träåldern" spände över åtskilliga sekler innan metallerna kom. Och så kom till sist industritiden som gjorde Småland till ett skogsindustrins föregångsland.

190

Bland alla andra företagare måste man här nämna skogsägarnas eget välorganiserade förbund Södra Sveriges Skogsägare med säte i Växjö, där föregångsmannen Axel Edström skapat "ett skogens eget imperium", som förvaltar över 2 miljoner hektar skogsmark och har mer än 40 000 medlemmar (men då är även en del av grannlänen medräknade).

Här kan man verkligen tala om förädling: pappersmassa, sågade trävaror, trähus, spånskivor, papper, papp och förpackningar. De småländska fraktbåtarna finns på alla världens hav. Förädlingen har gått en väg, där likheten med järnet är slående: från råmaterial till förfinad produkt eller konstprodukt. Träförädlingen har t.ex. lett till en omfattande möbeltillverkning. Man kan säga att "snickarglädjen" är en småländsk uppfinning. Tillverkningen har delat upp sig på hantverk, småindustri och industriell tillverkning (t.ex. Ikea) med en betydande export. Bruno Mathson i Värnamo är ett namn som gått ut över världsmarknaden. Stil, funktion, elegans utmärker denne småländske trämästare, vars namn ofta nämnes vid sidan om Carl Malmsten. Man bör heller inte glömma att hemslöjden (bruksslöjden) gör många vackra bruksföremål av trä, ofta med förebilder från gamla tider. Det är en handaslöjd som levt sitt liv från forntid till nutid med ständigt skiftande former.

Glasets förädling och framställning är en senare historia. Den ligger oss närmare i tiden och är fascinerande. Glastillverkningen har givit Småland och Sverige världsrykte. Nämn t.ex. Orrefors eller Kosta. Ingen tänker väl egentligen på de geografiska orterna utan på det högförädlade glas med konstnärlig formgivning och dekor, som skapas i hyttor och verkstäder där.

Glaset har ingen uråldrig historia i Småland – det svenska glaset såg inte dagen förrän under Vasatiden då Erik XIV inkallade venetianska glasblåsare. Men det har en mer än trehundraårig historia med en glänsande utveckling.

Ser vi ut över landets gränser är glaset nästan lika gammalt som järnet – om båda dessa material kan man för övrigt säga att de både upptäckts och uppfunnits. Även här låg Egypten i täten; redan omkring 2000 f.Kr. kunde egyptierna gjuta glas – när smålänningarna levde i sin sena stenålder! Själva blåsningen av glas – och det var ju den som skapade både hantverket och industrin – låg mycket senare i tiden (omkring Kristi födelse). Uppfinnare var med all sannolikhet fenicierna, vars raffinerade hantverk var känt över hela Medelhavsområdet. Glaset gick sitt segertåg över Romarriket, Bysans, Rhenlandet. Det var troligen från glashyttorna i Rhenlandet som vi fick de första glasbägarna – raffinerat prydnadsglas med pålödda trådar eller slipade ytor. En och annan av dessa har säkert sökt sig upp till de småländska landen.

Sedan kom – efter en tids dekadans under medeltiden –det raffinerade florentinska glaset under 1400-talet och ett par hundra år senare det böhmiska glaset, känt för fina etsningar och gravyrer.

Nu närmar vi oss den tid när Småland stiger fram på arenan. De första småländska glasbruken kommer på 1600-talet (Bökenberg söder om Kalmar, Trestenhult i Almundsryds och Midinsbråte i Urshults socken, nära den dåtida riksgränsen). Glaset hade fått en större marknad, det var inte längre någonting enbart för de högre stånden.

Export till närliggande länder, främst Danmark, kom tidigt igång. Det är betecknande att man vid utgrävningen av Trestenhult hittade både en saltburk och delar av en bägare (1628–1631). Glaset börjar också säljas av en slags "glasknallar", kringresande försäljare som sålde bruks- och prydnadsglas på den lokala marknaden. En sådan var Dickare-Henrik, berättar Lars-Olof Larsson; dicka betyder på sydsmåländskt folkmål "fara omkring".

Det har funnits glasbruk på olika håll i Småland. På 1800-talet fanns över 40 bruk i de tre länen, men det egentliga glasriket växte upp i skogsområdena mellan Kalmar och Växjö. Där ligger det ännu med alla sina välbekanta namn: Orrefors, Kosta, Gullaskruf, Åfors, Pukeberg. När konjunkturerna växlar och lågkonjunkturerna driver in med sina svarta moln då är det många som ber att Vår Herre måtte hålla sin hand över detta rike. Att riket ligger just här, inom samma område som det gamla järnbäralandet med sina småhyttor och smedjor, är nog ingen tillfällighet; här fanns gott om skog, här låg handelsvägarna, det var nära till Kalmar och dess exporthamn, nära till Blekinge och dess förbindelser

Gamla masugnen och hammarsmedjan vid Orrefors Bruk (1890).

utåt, till den växande handelsmetropolen Växjö. Gods, gårdar och väl-
mående borgerskap fanns inom räckhåll.

Jag vet ingen bättre ciceron i detta rike, som nyligen firat sitt 250-årsjubi-
leum, än Margit Vinberg som givit ord åt vad många känner: "en säregen
och charmfull miljö med gammaldags bruksatmosfär i en sjörik och vänlig
natur där fattig-Småland bara finns kvar på hembygdsmuseerna." Inte
underligt att glasbruken blivit en turistattraktion för in- och utländska
resenärer. De penningstarka kan köpa pjäser signerade av de stora mäs-
tarna Simon Gate, Edward Hald eller Vicke Lindstrand. De som har
begränsad kassa kan göra fynd bland sekundagodset.

Många hotade bruk, och det finns idag åtskilliga, klarar livhanken på
denna sekunda-försäljning. Det händer att 10 procent av inkomsterna
kommer in genom denna försäljning.

Bacchusskålen. Ett av mästaren Simon Gates mest berömda verk.

Det småländska glaset har gått ut över världen. Det har hamnat i världs-
städernas mest exklusiva butiker – i London, Paris, New York, Tokyo ...

På den internationella marknaden har lyxglas och vardagsglas dragit
uppmärksamheten till sig, även de kräsna kritikernas.

Allt detta kommer från en liten vrå av världen där fattigdomen var gäst,
där emigrationen tappade blod ur de glesnande bygderna och framtiden
för många tedde sig hopplöst dyster. Medge att det är spännande att följa
de tre epokerna som vi kan ge namnen järn–trä–glas!

194

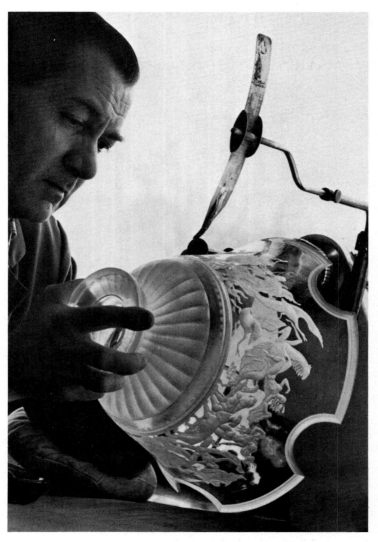

Gravören Rune Pettersson i arbete med en replik av Bacchusskålen (1976).

För nordmännens raseri ...

I en bok om sällsamheter i Småland ville jag gärna låta strålkastaren spela ett tag över området öster om Skillingaryds skjutfält, tätt intill E 4:n och den gamla Lagastigen. Här vill militären vidga ett skjutfält och många orter ligger i eller nära farozonen: Vaggeryd – Svenarum – Svedala – Nydala – Dala mosse – Klevshult; det är en bit av det ljusaste Småland. I en stor del av detta område bor och verkar många människor (ingen glesbygd!). Här vill militären "utvidga" det gamla Skillingaryds skjutfält från nuvarande 4 000 till 11 000 hektar – en tredubbling av ett skjutfält mitt inne i den småländska kulturbygden, mitt inne i ett friskt och levande stycke Småland. Det är en ytterst motbjudande tanke; flera år med utredningar, sammanträden, remisser och talrika protester, men när detta skrives 1977 är frågan ännu inte avgjord. Varför vi här berättar om denna strid beror på att vi vill visa hur en hel bygd kunnat samla sig till motstånd och kamp för sin hembygd. Militären borde vara stolt över en sådan motståndsvilja – utan den skulle alla våra tekniska vapen vara förgäves!

Vad skulle det innebära om landets mest värdefulla kulturlandskap ödeläggs? Låt oss börja med folkopinionen, med den pensionerade kantorn och rektorn Joel Andersson i spetsen. Han är sedan många år bosatt i Tofteryd, vars traditioner han vårdar. Majoriteten av befolkningen är på hans sida liksom huvuddelen av de kommunala förtroendemännen.

Först alltså bygdens reaktion som den avspeglar sig i pressen och på opinionsmöten. Några rubriker: 1 000 gårdar skulle läggas öde om skjutfältet tredubblades. Detta betyder domedag för Tofteryd. – Stora värden står på spel för bönderna och ändå finns det andra värden, som inte kan vägas mot pengar.

Samfundet för Hembygdsvård (numera Riksförbundet för Hembygdsvård) har skrivit direkt till regeringen och begärt ett alternativ. "En utvidgning är bara början till en skräckvision", anser Samfundet. Fältbiologerna går på samma linje och många andra experter har låtit höra av sig.

För att visa bygdens pulserande liv har man de senaste somrarna anordnat den s.k. Tofterydsdagen. Den som tror att hembygdsfester är på

avskrivning skulle vara med om dessa strålande manifestationer av bygde-
liv, tradition och hembygdskänsla, i vilka flera tusen människor från hela
den hotade bygden deltar. På programmet står bl.a. folkmusik, hemslöjd
och växtfärgning. Man visar bilder ur arbetslivet i byar i äldre tider, "kä-
ringaoket", gamla tiders plöjning – och det intressantaste av allt: man
återupplivar äldre tiders kolning och den gamla småländska myrjärns-
tillverkningen.

Sommaren 1975 byggde man
en blästerugn i Tofteryd för
att visa hur det gick till när
man "smälte järn" i äldre tid.
Hela bygden mötte upp och
jag var själv med som vittne.
Joel Andersson var bas för det
hela. Vid sidan om ugnen
stod milan där man kolade
det härligaste träkol, som
hembygdföreningen sedan
kunde sälja! Foto Sven Löv-
fors.

Vad är det då som gör denna centralbygd så märklig att 98 procent av befolkningen sluter upp till dess försvar? Är det de tusenåriga fornminnena eller de medeltida templen, klostret och de gamla gårdarna? Är det kulturlandskapet självt och de härliga utsikterna? Eller är det den välmående bygden med sin trivsel och säregna blandning av gammal odling och nya företag? Nej, ingenting kan plockas ut ur sitt sammanhang, det är helheten, det stora sammanhanget mellan forntid och nutid, den obrutna tusenåriga traditionen som ger denna bygd dess adelsmärke.

Vi kan börja med minnena. Tofteryd, som skulle bli mest drabbat, är ett enda sammanhängande kulturminne. Dess historia börjar i gråaste forntid. Efter tundrans strövande jägare kom invandrarna från söder, kanske över Fornbolmen, in över Vidöstern, upp utefter Lagan och vidare mot södra Vätternområdet. Fynden av sten och flinta talar sitt språk. För 5 000 år sedan och kanske mer hade folk nått Fryele–Vaggerydstrakten. När Cheopspyramiden byggdes fanns det smålänningar i Tofterydsområdets jakt- och fiskevatten.

Stenålderns stora epok var hällkistornas tid omkring 2000 f.Kr. Värmetiden nådde sitt maximum. Jordbruket och boskapsskötseln blev huvudnäringarna. Mycket av lämningarna från denna tid har försvunnit genom odling men enstaka fynd har gjorts som det ståtliga bronsålderssvärdet vid Linnesjöns strand och ett kummel söder därom. Då är vi inne i bronsålderns gåtfulla, glänsande skede med skepp, svärd, hällristningar och gravkummel, med sin egenartade fjärrhandel som gav kontakter med de stora kulturerna kring Medelhavet. Det är fullt tänkbart att de stora kumlen i Njudung uppfördes ungefär vid samma tid som Tutanchamon regerade i Egypten och den sagolika minoiska kulturen blommade på Kreta.

När medeltiden begynner är områdena öster om Lagan redan färdiga till sina konturer; alla större byar under medeltiden fanns redan under järnåldern, övergången var nästan omärklig. Först under 1300-talet kan man märka en nedgång. Det stora som skedde under 1100-talet var som tidigare nämnts uppförandet av Nydala kloster, cisterciensernas kloster, med utsökt arkitektur och en religiös och social organisation som aldrig

Ruinerna av Nydala kloster som de återges i Suecia antiqua. Gaveln till vänster
med de vackra fönstren i cistercienserstil är från 1200-talet.

förr skådats i vikingarnas bygd. Det var en händelse som satte sin prägel på
hela bygdens liv och tro långt in i nyare tid.

Hit skulle det nyss omtalade skjutfältet sträcka sina gränser liksom till
det medeltida Sjöryd och Linneryd nära munkarnas stockbro på vägen
mot Tofteryd. Och här börjar källorna flöda, där förr bara runorna gav
oss sina torftiga notiser. Ärkebiskopen i Lund Andreasson gav ut ett
"skyddsbrev" till sina bröder. Där talas om alla munkars "lantgårdar och
alla hemman, som med rätta tillhör edert kloster". Och så räknas det upp
en rad gårdsnamn som finns än idag: Sunnebo i Vrigstad, Linneryd i
Tofteryd och Järnboda med allt vad som nu och sedan gammalt tillhör
dem, nämligen åkrar, skogar, ängar och betesmarker, fiske, kvarnar, all
odlad och icke odlad mark. I sanning en rik bygd.

Bönderna hade svårt att hävda sin rätt mot de mäktiga munkarna. Det
har med rätta sagts om Tofteryds socken att den hör till de bygder i vårt

199

land, över vilka historiens sparsamma gryningsljus tidigast faller. Nära åtta sekler har gått sen de första bokstäverna som skulle berätta om bygden präntades. En sådan bygd måste man vara aktsam om. Kyrkorna har vid sidan om sin egentliga uppgift att tolka Guds ord också en historisk, en påminnande, uppgift. Till skillnad från klostret är de levande monument. Tofteryds tempel hör dit, en vacker Tegnérkyrka från 1835 med rester från en medeltida kyrka (kanske en storkyrka).

I Hagshult är förhållandena likartade med den skillnaden att här står medeltidskyrkan kvar med sina sköna kalkmålningar, sin berömda Mariabild och sin 700-åriga dopfunt. Klockspelet från 1785 ger ytterligare accent åt denna ståtliga enhet. 5 000 år omfattar dess historia här liksom i Tofteryd. Fryele 1700-tals kyrka med sitt järnkors över vargjägaren, sina gravvårdar över två av kyrkans stora söner (Nothin, far och son) och med sitt fornminnesrika uppland hör till samma grupp av kulturenheter som måste vårdas med ansvar. Svenarums kyrka stammar från 1700-talet men har delar kvar av det medeltida templet och en utsökt altartavla av den berömde smålandsmålaren Per Hörberg.

Vi har redan talat om naturen – här har också naturvetaren något att säga. Planerna berör också den tidigare nämnda omistliga Dala mosse, en motsvarighet till det fågel- och mosslandskap som ligger norr om Värnamo Stora Mosse. Här ligger ett forskningsprojekt som är så ömtåligt att t.o.m. skjutning i dess närhet kan bli ödesdiger för mossen. Allt detta är bara plock ur argument och intryck kring denna hotade del av Småland. Det skulle kunna sägas mer om dessa nejder som passar väl in på Elin Wägners "Tusen år i Småland".

Skulle denna bygd ödeläggas vore man frestad att låta en av krigsdikterna från Norge återuppstå (Inger Hagerup):

De brente våre gårder
dè drepte våre menn.
La våre hjerter hamre det om og om igen.

Gårdar har redan bränts i skjutfältsområdet, man hotar att dräpa en hel bygd.

Register

Acke, J. A. G. 39
Afzelius, Arvid August 47
Albrecht, kung 24
Algutsboda 149
Almén, prostinna från Åsenhöga 119
Almqvist, Carl Jonas Love 47
Almundsryd 192
Alvesta 99
Andersson, Henrik 182
Andersson, Joel 196, 197
Andersson, Sven 190
Andersson, Thure 22
Andræ, Tor 187
Andreasson, ärkebiskop i Lund 199
Andréemuseet 17
Angelstad 62, 64, 67
Ankarsrum 158, 187
Apladalen 49 f
Arbman, prost 172
Askeryd 44, 46, 47
Assjön 44 f
Atterbom, Per Daniel Amadeus 45, 46, 47, 106

Banér, Per 83
Basebo 139, 146
Bauer, John 17 ff

Berga 76
Bergenblad, Harry 23 f, 34, 35
Bergquist, Thorwald 42 f, 189
Beronius, läroverkslärare i Oskarshamn 170
Berwald, Frans 46
Bielkesläkten 167
Biskopsvara 65
Björnekulla 53
Bladh, S. J. 31
Blå Jungfrun 174
Boeryd 35
Boija, Teodor 20
Bolling, A. E. 16 f
Bonde, Gustaf 44
Bonde, Karl Knutsson 87, 187
Bor 58
Brahe, Axel 82
Brahe, Per 13
Bratt, Olof 122
Bricer, Henry 169 f
Bringéus, Nils-Arvid 101
Brinkman, C. G. von 120
Brok, Eske 82
Brömsebro 152 ff
Brömsebäcken 152, 153, 155
Brömsehus 153
Byvärma 87

Bäckerström, Emerentia 158
Bökenberg 192

Campbell, Sigurd 20
Carlsson, Carl David 39

Dacke, Nils 130 ff
Dahlberg, Erik 25
Dala mosse 200
de Casa Miranda (Kristina Nilsson) 108 ff
de Roy, Arendt 38
de Trij, Henrik 186
"Dickare-Henrik" 192
Djurclou, N. G. 107
Drake, Gustaf 168
Dunderbacken 35
Dunkehallar 32
Duraeus, prästsläkt 95
Dybeck, Richard 107
Dädesjö 94
Döderhult 163
"Döderhultarn" (Axel Petersson) 168 ff

Ed 184
Edström, Axel 191
Ehrenberg, K. H. 143
Eklundh, Albert 87
Eksjö 38 f
Eldh, Carl 175

Eliasson, Lars 43
Engelbrekt 24
Engström, Albert 35 ff,
169, 173, 175, 188
Enholmen 182
Ericus Olai 103
Erik XIV 87, 191
Evedal 113, 120 f

Finnveden 42
Fogelqvist, Torsten 46
Folke Algotsson 167
Fornholmen 54
Franzén, Gösta 127
Frick, häradshövding 32
Friis, Christian 82
Fryele 41, 200
Fröding, Gustaf 39, 118
Frödinge 187, 188
Fyhr, skomakarmästare
142
Fürst, C. M. 66
Fälle 163
Fällorna, torp 119 f

Gadh, Hemming 158,
159
Galjamon 51
Gate, Simon 193, 194
Geijer, Erik Gustav 106
Gellerstedt, A. T. 160
Getabäck 88 f
Getaryggen 94
Gidstam, Björn 69
Gimstedt, Olle 182
Glaurt, dansk cirkusdi-
rektör 52
Gloet 176, 183

Gottfrid, fiskare i Sim-
pevarp 182
Granlund, J. G. 15
Granneby (Gränna) 13
Grip, Bo Jonsson 24, 187
Grips-Vembo 125
Gränna 13 ff
"Grännakungen" (A. E.
Bolling) 16 f
Gullaskruf 192
Gustafsson, Lars-Erik 56,
59
Gustav I (Gustav Vasa)
87, 89, 132, 153, 155,
167, 178, 180
Gustav II Adolf 34, 81,
83 ff, 152, 167
Gustav III 84, 86
Gustav VI Adolf 32, 165
Gyllenfors 33
Gyllenram (Luthander),
Henriette Ellenora
47
Gårdsby säteri 112
Göta kanal 14
Göth, J. A. 70, 188

Hadding, Assar 134
Hagberg, Knut 87, 92
Hagby kyrka 158
Hagerup, Inger 200
Hagshult 200
Hald, Edward 193
Hallbeck, C. S. 14, 96
Hamilton, Malkolm och
Hugo 105
Hammarskjöld, H. 40
Hamneda 128, 129
Hanåsa 142

Hazze Z 175
Hazelius, Artur 107
Hazelius, Jonas 47
Hedborn, Samuel 44 ff,
73, 74
Hedenstierna, Alfred
("Sigurd") 122
Hederstierna, Carl 40
Heidenstam, Verner von
39, 66, 123
Helén, Gunnar 43
Helgerum 158
Hellström, A. F. 15
Henrikson, Alf 19, 23
Hildebrand, Hans 107
Hofrén, Manne 140, 165
Holgersson, Gustaf 173
Holm, Rurik 23
Holst, N. O. 134
Hoppenstedt (Bäcker-
ström), Emerentia 158
Hossmo kyrka 158, 159
Hovdala 81
Hult 35
Hultsfred 142
Huseby 101, 104 ff, 135
Huseby kungsgård 13
Huskvarna 23 f
Huskvarna museum 24
Husqvarna Vapenfabriks
AB 25
Hyltén-Cavallius, Gun-
nar Olof 87, 100 ff,
106, 117, 139
Hyltén-Cavallius, Nils
123
Hästholmen 19 f, 30
Högsby 139
Hörberg, Per 200

Hörlö 51
Hörte 33
Höö 87

Idö 187
Ingrid, dotter till Svantepolk Knutsson 165, 167

Jehander, Carl 51
Jerring, Sven 20
Johansson, Axel 109, 129
Jonsson, Nils ("Klockarenissen") 141
Järnboda 199
Järnvägsrestaurangen, Växjö 121 ff
"Jödde på Stenkullen" 141 ff
Jönköping 31
Jönköpings tändsticksfabrik 30
Jönsson, Erik 83
Jönsson i Träslanda, Petter 15

Kalmar 164
Kalmar slott 178
Karl VIII Knutsson Bonde 87, 187
Karl IX 34
Karl XII 96
Kiechen, Samuel 80
Kinda 133, 134
Kistebacken 61 f
Kivik 27
Kjellin, Helge 19
Klein, Herman 114

Klingspor, David Magnus 125, 126
Klockesjön 62
Knäred 81 f, 152, 155
Kock, Karin 39
Kosta 191, 192
Kristdala 96
Kristian III 153
Kristian IV 84 ff
Kristianopel 153
Kristina, drottning 155
Kronobergs biskopsgård 133
Kronobergs kungsgård 119
Kronobergs slott 152
Kruse, Kalle 109
Kumlaby båthus 15
Kyrklund, Willy 19
Källström, Arvid 131
Käppevik 163, 180
Kävsjön 54, 55
Köphult 81

Lagerkvist, Pär 38, 103, 121 ff, 188
Lagmanskvar 163
Larsdotter, Lotta 74
Larsson, Carl 91
Larsson, Gabriel 64 f
Larsson, Lars-Olof 103, 192
Larson, Marcus 8
Larsson, Tomas 81
Levander, Lars 75
Lessebo järnbruk 190
Lidén, Oscar 189
Lilla Forsa 161, 162
Lindberg, Hugo 39

Lindgren, Astrid 188
Lindman, S. 31 f
Lindstrand, Vicke 193
Ling, Per Henrik 103
Linnaeus, Nils 91
Linnaeus, Samuel 92
Linné, Carl von 35, 68 f, 87, 88 ff, 103, 120
Linnerhielm, Jonas Carl 156
Linneryd 199
Ljungarum 26, 30
Ljungby 109 f
Ljungbyholm 158
Loftahammar 184
Loshult 88 ff, 94
Lundberg, Fridolf 129
Luthander, Henriette Ellenora 47
Lård, soldat och lärare 170
Länsmuseet, Jönköping 19
"Läse-Nils" i Valåkra 146
Löwenadler, L. 13

Malmström, J. A. 102
Mandelgren, Nils 133, 134
Mannerskantz, Carl 156
Markaryd 7, 80, 81
Marsholm 87
Martin, J. F. 184
Mathson, Bruno 191
Melander, N. 189
Mellby färjestad 15
Meurling, Erik 95
Meurling, prästsläkt 95, 96

Midinsbråte 192
Mien 134 ff
Milles, Carl 175
Misterhults skärgård 178
Mjärhult 69
Moberg, Vilhelm 103,
149 ff, 188
Montelius, Oscar 107
Moshultamåla 149
Munksjön 30
Månsson, Fabian 130
Möckeln 87, 90
Möckelsnäs 87
Mönsterås 160, 162, 163
Mörner, Birger 39
Mörner, Eva 120
Mörner, Marianne 39

Nicander, Karl August
156, 158
Nilsson, Kristina 76, 103,
108 ff
Nilsson, Lars B. 182
Nilsson, Peter 79
Nilsson, Sven 107, 146
Nilsson Aschan, överste-
löjtnant 122
Nissafors 33
Nordenberg, Bengt 49,
110
Nordiska museet 141,
143
Nothin, Torsten 41, 200
Nydala kloster 198, 199

Ohs bruk 57
Orback, Olle 174
Orrefors 191, 192, 193
Oshult 81

Oskar I 107
Oskar II 32, 59
Oskarshamn 168, 170,
172, 173
Oxenstierna, Axel 82,
86, 88, 153 ff
Oxenstierna, Ebba 88
Oxenstierna, Gabriel 83

Parsberg, Mandrup 82
Pelarne 187, 188
Per Brahe, fartyget 17,
19 ff
Persson (i Skabersjö),
Ivar 44
Petersson (i Påboda),
Alfred 40
Petersson, Axel ("Dö-
derhultarn") 168 ff
Pettersson, Josua 77 ff
Pettersson, Rune 195
Pickelsjön 81, 152
Pukeberg 192
Pyhy, Konrad von 132
Påryd 56

Ramsö 134 f
Rappe, Carl 165, 167
Rhodin, kyrkoherde 84,
86
Rocksjön 30
Romdahl, Axel 175
Roosval, Johnny 57
Rudebeck, Peter 135
Rumlaborg 23 f
Rusken 57
Rydberg, Viktor 168
Råshult 92 f
Ränneslätt 38, 172

Sagaholm 26 ff
Sahlin, Carl 165
Sahlin, Ester 175
Sahlström, Georg 23
Salen 104
Salomonsson, Karl 61 ff,
67
Samuelsson, Sven 75
Sanda 30
Sandsbro 109, 113
Schander, Anna 112
Schander, Carl 112
Sehlstedt, Elias 13
Selling, Dagmar 176
"Sigurd" (Alfred He-
denstierna) 122
Sigurd Jorsalafare 164
Simpevarp 176 ff
Sirkön 127
Sjöared, Sjöaryd 77 ff,
81, 82, 84, 86
Sjöryd 199
Sjöåkra 41 f
Sjöbeck, Mårten 125
Skatelövsfjorden 104
Skillingaryds skjutfält 196 ff
Skirö 143
Skurugata 37, 172
Skuruhatt 37
Skytte, Gustav Adolf
167 f
Skytte, Johan 167
Sköld, Per Edvin 41 f
Smålands museum, Väx-
jö 101
Snoilsky, Carl 50
Snugge 108
Some, Germund Svens-
son 178

Stagbyån 157
Sten Sture d.ä. 167
Stenbock, Magnus 90
Stenbrohult 90, 92, 95
Stenkullen, torp i Högs-
by 139 ff
Stensson-Rothman, Jo-
han 120
Stenwall, Frank 59
Stephens, Florence 106,
107, 108, 115
Stephens, Georg 101,
105, 108
Stephens, Joseph 104 ff
"Stina i Snugge" (Kristi-
na Nilsson) 108 ff
Stjerne, Oscar 95
Stockebäcken, torp 143
Stolts, Jonas 139 ff, 188
Store Mosse 53 f, 200
Ströhm, S. G. M. 170
Strömserum 165 ff
Ståckström, prost 143
Sundin, Anton 50
Sunnanvik 139
Sunnebo 199
Sunnerbo 81
Svantepolk Knutsson
165
Svenarums kyrka 200
Svensson,Ingemar 126
Svenson, Anna, Håres-
torp 123
Sällberg, Thure 51 f
Sätherberg, Herman 91
Säve P. A. 101, 107
Söderlundh, Lille Bror
46
Söderåkra prästgård 153

Södra Möre 155 ff
Södra Vedbo 31
Södra Vi 187, 188

Taberg 32 ff
Tarras-Wahlberg, Nils
55
Taxås klint 87
Tegnér, Alice 46
Tegnér, Esaias 71, 103,
106, 107, 117 ff, 120
Tham, Wilhelm 25
Thorsson, F. V. 41
Thålin-Bergman, Lena
35
Tingsten, L. 40
Tjust 184 ff
Tofteryd 196 ff
Tonnarp 31
Tornérhielm, Fr. 109,
111
Tott, Ingegerd 167
Traryd 70
Trestenhult 192
Träslanda 15
Tullholmen (Ströms-
holmen) 184
Tyrgils Knutsson 187

Ugglekull 127
Ulfstand, Görvel 88
Ulvsbäcks prästgård 80 ff
Uranäs 132
Urshult 126, 127, 192

Wagnsson, Ruben 43
Waldenström, Johan 42
Wallenberg, Jacob 161
Valåkra 146

Vederslöv 108
Vejde, P. G. 125
Vena 187
Wensterman, Jörgen 82
Verkebäck 185
Westerlind, Erik 44
Wetterberg, J. A. 100
Wibeck, Edvard 53, 55
Widéen, Ivar 128
Wiesel, Samuel 95 ff
Wieselgren, H. 107
Wieselgren, Peter 73,
107
Viktoria, drottning 113
Williams, Karl 128 f
Vimmerby 187, 188
Vinberg, Margit 193
Virestad 71
Virserum 131
Visingsö 15
Vislanda 95, 96, 98, 100
Vissböle 187, 188
Wistrand, amanuens vid
Nordiska museet 141
Vittaryd 164
Vittsjö 81, 152
Voxtorp 157, 158
Wrangel, Evert 7, 113
Vrigstad 199
Vä 81, 152
Wägner, Elin 7, 37, 118,
187, 188, 200
Värend 100 ff
Värnamo 49 ff
Värnanäs 155 ff
Västbo 147
Västervik 184
Västra Tollstad 22

Yxenhult 85

Åfors 192
Åhman, J. 143
Åkerby i Ljuders socken
   75
Ålem 164, 167
Åminne 33
Åsnen 87, 125

Älghult 69, 132 f
Älmhult 90
Ävrö 178, 180

Ödmann, Arvid 113
Ödmann, Samuel 73, 95,
   97 f, 187
Örö 184 f
Östbo 75
Östmark, Kerstin 179
Östrabo 117 f
Överums bruk 186, 187

Stagbyån 157
Sten Sture d.ä. 167
Stenbock, Magnus 90
Stenbrohult 90, 92, 95
Stenkullen, torp i Högsby 139 ff
Stensson-Rothman, Johan 120
Stenwall, Frank 59
Stephens, Florence 106, 107, 108, 115
Stephens, Georg 101, 105, 108
Stephens, Joseph 104 ff
"Stina i Snugge" (Kristina Nilsson) 108 ff
Stjerne, Oscar 95
Stockebäcken, torp 143
Stolts, Jonas 139 ff, 188
Store Mosse 53 f, 200
Ströhm, S. G. M. 170
Strömserum 165 ff
Ståckström, prost 143
Sundin, Anton 50
Sunnanvik 139
Sunnebo 199
Sunnerbo 81
Svantepolk Knutsson 165
Svenarums kyrka 200
Svensson,Ingemar 126
Svenson, Anna, Hårestorp 123
Sällberg, Thure 51 f
Sätherberg, Herman 91
Säve P. A. 101, 107
Söderlundh, Lille Bror 46
Söderåkra prästgård 153

Södra Möre 155 ff
Södra Vedbo 31
Södra Vi 187, 188

Taberg 32 ff
Tarras-Wahlberg, Nils 55
Taxås klint 87
Tegnér, Alice 46
Tegnér, Esaias 71, 103, 106, 107, 117 ff, 120
Tham, Wilhelm 25
Thorsson, F. V. 41
Thålin-Bergman, Lena 35
Tingsten, L. 40
Tjust 184 ff
Tofteryd 196 ff
Tonnarp 31
Tornérhielm, Fr. 109, 111
Tott, Ingegerd 167
Traryd 70
Trestenhult 192
Träslanda 15
Tullholmen (Strömsholmen) 184
Tyrgils Knutsson 187

Ugglekull 127
Ulfstand, Görvel 88
Ulvsbäcks prästgård 80 ff
Uranäs 132
Urshult 126, 127, 192

Wagnsson, Ruben 43
Waldenström, Johan 42
Wallenberg, Jacob 161
Valåkra 146

Vederslöv 108
Vejde, P. G. 125
Vena 187
Wensterman, Jörgen 82
Verkebäck 185
Westerlind, Erik 44
Wetterberg, J. A. 100
Wibeck, Edvard 53, 55
Widéen, Ivar 128
Wiesel, Samuel 95 ff
Wieselgren, H. 107
Wieselgren, Peter 73, 107
Viktoria, drottning 113
Williams, Karl 128 f
Vimmerby 187, 188
Vinberg, Margit 193
Virestad 71
Virserum 131
Visingsö 15
Vislanda 95, 96, 98, 100
Vissböle 187, 188
Wistrand, amanuens vid Nordiska museet 141
Vittaryd 164
Vittsjö 81, 152
Voxtorp 157, 158
Wrangel, Evert 7, 113
Vrigstad 199
Vä 81, 152
Wägner, Elin 7, 37, 118, 187, 188, 200
Värend 100 ff
Värnamo 49 ff
Värnanäs 155 ff
Västbo 147
Västervik 184
Västra Tollstad 22

Yxenhult 85

Åfors 192
Åhman, J. 143
Åkerby i Ljuders socken
    75
Ålem 164, 167
Åminne 33
Åsnen 87, 125

Älghult 69, 132 f
Älmhult 90
Ävrö 178, 180

Ödmann, Arvid 113
Ödmann, Samuel 73, 95,
    97 f, 187
Örö 184 f
Östbo 75
Östmark, Kerstin 179
Östrabo 117 f
Överums bruk 186, 187